PISANDO SERPIENTES

El tesoro sagrado o el apocalipsis esperado

Ricardo Celis Flores

EDIQUID

PISANDO SERPIENTES
El tesoro sagrado o el Apocalipsis esperado
© Ricardo Celis Flores, 2020
© Editorial Ígneo Internacional, SAC, 2020
© Para esta edición con el sello Ediquid, 2020
Lima, Perú

www.grupoigneo.com
Correo electrónico: contacto@grupoigneo.com
Facebook: Grupo Ígneo | Twitter: @editorialigneo | Instagram: @grupoigneo

Diseño de portada: Oriana Vargas
Diagramación: Virginia Palomo Rosendo (Ímpetu creativo)

Colección: Nuevas voces

ISBN: 978-980-7641-66-1
Depósito legal: DC2020000535

*Para mi hijo Ricky, gracias por tener
ese corazón tan enorme, pensando
primero en los demás.*

*Y por alentarme a seguir escribiendo
sobre un tema que tanto te atrae.*

*No hay palabras para agradecer a mi
familia, a mi esposa Silvia, a mi hijas
Sophia y Jessica.*

*A mi madre, que desde siempre ha sido
Mamá Cuervo, siendo la mejor crítica
y el apoyo más fuerte e incondicional
que he podido tener. A mi hermana
Lily, sabes muy bien que por el resto de
mis días te estaré más que agradecido
por tenderme tu mano, brazo y hombro
siempre que lo he necesitado.*

*Cabe destacar que a pesar de que es
una novela ficticia, la mayoría de los
datos que aquí se entregan son reales.*

PRÓLOGO

Nicān Mopōhua. Aquí se narra una historia que comenzó hace cerca de quinientos años dentro de un viejo cuarto con muebles de madera mal tallada y carcomida por termitas. Las imágenes de diferentes personas fueron grabadas como una fotografía, en píxeles en tonos grises y negros.

En total alcanzamos a distinguir a trece personas en diferentes posiciones y lugares, todos dentro del mismo cuarto. Un anciano viendo hacia arriba, un indio sentado, una mujer negra, un sacerdote rezando en cuclillas, un hombre con barba con una rodilla hincada en el suelo, un hombre con facciones blancas sobándose la barba con una mano y una familia de seis con la mamá cargando al más pequeño en su espalda dentro del reboso, lo que los indios llaman la *manta que sostiene la vida.*

La imagen poco a poco se va magnificando. Quinientas veces más grande, se sigue ampliando mil veces más, hasta ser magnificada dos mil quinientas veces. Los píxeles pasan a ser megapíxeles, ¡todas las imágenes se ven sorprendentemente vivas! Todas están dentro de la córnea de un ojo. La imagen se sigue magnificando, dejan de ser píxeles, ahora vemos los dos ojos, ambos muestran las mismas imágenes de las personas con diferentes proporciones. Los pigmentos atraviesan la tilma entera, pero no hay huella de pinceles. La imagen fue «impresa», no pintada.

La imagen es más clara ahora, ya notamos el rostro de una mujer de pelo negro. Podemos ver las fibras donde está impresa, los rasgos de la tela, la manera en que burdamente fueron cocidos los dos lienzos, el labio inferior quedó impreso sobre un nudo del ayate, lo que brinda un relieve adicional, la firmeza de los múltiples colores, esa pigmentación que hasta el día de hoy es completamente desconocida. Al ampliar la pictografía notamos que se trata de la imagen de la Virgen de Guadalupe en la tilma de Juan Diego.

Su mirada refleja ternura y bondad. En 1531, los indígenas no consideraban correcto mirar de frente: por eso tiene la cabeza inclinada hacia la derecha en señal de reverencia y respeto.

El ayate, de tan solo 1 metro con 43 centímetros, es la segunda imagen más venerada en todo el mundo católico. Es el símbolo de unión más fuerte del pueblo mexicano con el pueblo español.

El pliegue azteca de la tilma, más allá de tener un poder omnipotente, traerá riquezas jamás imaginadas por un mortal. Bien le dijeron a Juan Diego: «De tus hombros pende el tesoro más sagrado que en la tierra jamás se ha hallado».

Pero también dicen las sagradas escrituras que la imagen de la Virgen de Guadalupe es Apocalipsis 12, 1-2: «…una gran señal: una mujer vestida de sol, con la luna bajo sus pies, coronada de doce estrellas que está a punto de dar a luz».

Esta es la leyenda completa.

CAPÍTULO 1

Las tinieblas de la noche comenzaban a sucumbir bajo los primeros rayos de sol, un típico amanecer en la Ciudad de México con niebla y *smog*, más exactamente al pie del cerro del Tepeyac donde majestuosamente se yergue la Insigne y Nacional Basílica de Santa María de Guadalupe, mejor conocida como la Basílica de Guadalupe. Un inmenso edificio que puede llegar a albergar hasta diez mil feligreses en una sola misa.

Su construcción comenzó en 1974. Fue sorprendente ver cómo llegaban en esa época albañiles de todo el país que querían trabajar y con sus manos ayudar a levantar la casa de la Virgencita de Guadalupe sin cobrar un solo peso; solo pedían que se les diera de comer. Esto era música para los oídos del arquitecto Pedro Ramírez Vázquez, quien concibió y esbozó cada rincón de esta majestuosa obra, por lo que todos los días mandaba a traer cantidades industriales de todo tipo de tacos para los trabajadores. La construcción del templo de la Guadalupana les llevó casi dos años de trabajos intensos, siendo inaugurada el 12 de octubre de 1976.

Pero así como se recuerda esa fecha, también se recordará el día de hoy y no será precisamente para festejar.

En medio del rocío, uno de los siete accesos al templo que por lo general está cerrado al público, el acceso norte que da a la calle de Castrojeriz, se abrió violentamente de un solo golpe.

La luz artificial del interior de la basílica cruzó el umbral, penetrando y partiendo la opacidad en la Plaza de Las Américas. Con el rostro completamente desencajado, el arzobispo Jonás Guardiola gritaba entre gemidos y sollozos: «¡Nos la han robado! ¡Se la han robado! Se han llevado a nuestra Virgencita».

El sacerdote cayó de rodillas, levantando los brazos al cielo. La llovizna se precipitó sobre su cuerpo con más fuerza, sus lágrimas se mezclaban con la lluvia que caía sin cesar.

La capa del arzobispo bailaba y se movía de una manera burlona al compás del viento que constantemente cambiaba de dirección. El típico viento de la Ciudad de México, que ese día no tenía nada de típico.

La lluvia cesó, dando paso a una neblina que poco a poco se hizo más y más densa hasta cubrir lentamente los cinco templos en honor a la Virgen de Guadalupe en el cerro del Tepeyac. En medio de la neblina se podía ver la suspensión de pequeñas gotas de agua, algunas subiendo, otras bajando, rodeando y mojando todo a su paso, ascendiendo lentamente hasta llegar a la cúspide, a los cincuenta metros que mide la basílica, donde se alza una cruz postrada en una M, en honor a María y a México.

En menos de una hora los noticieros de todo el mundo daban a conocer el robo en la capital mexicana. «Este es un reporte de último minuto» decía Jorge Ramos, periodista de una cadena en Estados Unidos. «Uno de los símbolos más importantes de la Iglesia católica, el ayate de Juan Diego donde se muestra la imagen de la Virgen de Guadalupe, fue robado el día de hoy».

En las afueras de la Basílica de Guadalupe otro reportero proporcionaba más datos del suceso: «La Virgen de Guadalupe es, sin lugar a duda, el símbolo de los mexicanos, de los latinos y de los católicos en general. Este es el robo más grande en la historia de la religión cristiana».

El reportero se hizo a un lado para que el camarógrafo mostrara más video de la Basílica, que había sido acordonada por la policía. «Hasta el momento las autoridades han proporcionado muy poca información. En cuanto tengamos más detalles se los daremos a conocer».

Del otro lado de la gran urbe está Ciudad Universitaria. En la Universidad Nacional Autónoma de México, en la sala de conferencias 201 de Ciencias Sociales, este semestre se estaba impartiendo el Doctorado en Estudios Religiosos. Al frente de la clase estaba el profesor Elías Ortega, que ese día se veía un poco más fatigado de lo normal. A pesar de sus cuarenta y tantos años, era una persona con pocas canas, salvo por unos breves pelos blancos en las patillas.

Sus ojos verdes, semihundidos en ojeras, brillaban en fulgor enfrente de su clase. Era evidente que le producía un intenso placer mostrar sus conocimientos delante de un grupo de discípulos. Relajado, sentado en el escritorio sobre el cual había un ejemplar de su libro *Hitler y el Sudario de Turín* con una suástica sobrepuesta en la carátula, daba su cátedra al frente de la sala medio llena: «Hitler estaba obsesionado con la magia negra, con lo oculto». En la gran pantalla mostraba imagen tras imagen. «Incluso el símbolo nazi, la suástica, cuyo término verdadero es *esvástica*, tiene un significado muy auspicioso, un símbolo de prosperidad y de buena fortuna. Esa fue la razón principal por la cual el partido alemán lo hizo propio. Pero también tiene su lado oscuro. El partido nazi lo adoptó en 1920 porque creían que tenía atribuciones espirituales, místicas y esotéricas».

Las imágenes seguían proyectándose en la pantalla gigante.

«Hitler no solamente estaba buscando la raza perfecta. También quería el poder absoluto, de allí su deseo de obtener el Sudario de Turín. Por este motivo, antes de comenzar a invadir a sus países vecinos, mandó a todo un batallón de soldados a buscar a lo largo de Europa la manta en la que fue envuelto Jesús cuando lo bajaron de la cruz y la lanza que le perforó el pulmón cuando estaba en esta».

En ese momento, la puerta de la sala de conferencias se abrió de par en par, dejando pasar a dos hombres vestidos con traje y corbata. Tras dar un vistazo al recinto comenzaron lentamente a bajar los escalones hasta llegar a la primera fila, donde ambos se quedaron parados.

El profesor, a pesar de haber sido interrumpido por los dos hombres, prosiguió con su clase, mostrando la foto de Adolf Hitler sobre la pantalla de cine. Sobre esta imagen se fue sobreponiendo la imagen del Sudario de Turín, y poco a poco se fue transformando en una persona amorfa, en un tipo de monstruo sin rostro. Elías prosiguió: «La idea de Hitler era descifrar los códigos en el manto de Turín y así adquirir dos cosas. La primera era el poder de leer las mentes de sus enemigos y la segunda, que le era más importante: el poder de ser inmortal».

La mayoría de los alumnos estaban concentrados en sus laptops, escribiendo las notas del profesor. «Por eso, en 1938 el Vaticano escondió el Sudario de Turín, llevándolo a un santuario secreto en la región de Campania, donde permaneció hasta el final de la Segunda Guerra Mundial».

El profesor se detuvo a tomar un poco de agua y a apagar el monitor. «Pero eso será en nuestra próxima clase. No se les olvide estudiar los capítulos 4 y 5 para nuestro examen de la próxima semana. Gracias y que tengan un excelente día».

La sala de conferencias se vació en segundos, y quedaban solo un par de estudiantes cuando los dos hombres subieron al estrado donde estaba el profesor Ortega. De una manera fría pero formal, uno le dijo:

—Doctor Ortega, soy el teniente Ramos del Estado Mayor. Necesitamos que nos acompañe. El general Teófilo Baltazar necesita hablar con usted.

—Lo siento mucho, pero tengo otra clase en treinta minutos —respondió Elías.

—NO es pregunta —exclamó el segundo oficial, poniéndole una mano en el hombro—. Necesitamos que nos acompañe. El general le responderá todas sus dudas cuando lleguemos.

Elías quedó petrificado, y como sabía que no se podía negar se le ocurrió lo más lógico:

—¿Puedo ver sus credenciales?

Los dos policías sacaron sus cédulas, mostrando su nombre y rango dentro del Estado Mayor. Cada uno se paró al lado del catedrático y lo escoltaron fuera del recinto universitario. Elías pensó «en qué carajos me he metido».

Por la mente del profesor pasaron todo tipo de especulaciones. Pero la que más le sobresaltaba era un posible secuestro.

Pero a la vez, se reconfortaba porque no era una persona acaudalada y realmente nunca antes le había importado. Aunque ahora la situación se sentía completamente diferente. En especial sentado en la parte trasera del Ford Fusion negro con vidrios polarizados y con uno de los oficiales sentado junto a él.

—¿Me pueden decir adónde vamos? —preguntó Elías.

Ninguno de los dos oficiales respondió. El único sonido era del motor V-6 turbo mientras se movían alrededor del Estadio Universitario, antes de tomar la avenida Insurgentes.

Elías trató de bajar un poco la ventanilla polarizada del carro, pero esta estaba con seguro. Transitando por la avenida Insurgentes poco a poco comenzó a notar grupos de personas caminando, algunos en la banqueta, otros sobre la avenida, interfiriendo el tráfico vehicular. Todos se dirigían al mismo lugar.

Al doblar por la calle Montevideo en La Villa Aragón, el semáforo de la intersección marcaba rojo, pero esto no detuvo al vehículo que, repicando su sirena, prosiguió su camino.

Elías supo exactamente adónde se dirigían: justo al final de la calle estaba la Basílica de Guadalupe, donde ya se habían reunido miles de creyentes que pedían respuestas sobre el paradero de la tilma sagrada.

El automóvil negro navegaba con autoridad entre el gentío, metiendo de vez en cuando un sirenazo para dispersar a la masa, para continuar su camino sin detenerse.

—¿Hace cuánto que no viene a la basílica? —preguntó el oficial que conducía, casi llegando a su destino.

—Hace cinco años exactamente, cuando terminé mi tesis doctoral sobre la tilma de Juan Diego —contestó Elías—. No puedo comprender cómo alguien haya hecho…

—Hemos llegado —lo interrumpió el oficial.

Dos soldados postrados en la Calzada de los Misterios le abrían la puerta para recibirlo.

—El general lo está esperando adentro; ellos lo acompañarán desde aquí —le dijo el oficial que lo acompañaba en el asiento trasero y ahora abría la portezuela del copiloto.

El conductor bajó la ventana y le deseó buena suerte al profesor antes de volver a tomar rumbo por la calle Zumárraga, alejándose del gentío.

El cordón policíaco cercaba toda calle lindante a la Basílica de Guadalupe, desde los perímetros de cortes viales por la cantera al norte de la basílica, al sur por la calle Zumárraga, al este la calle 5 de Febrero y al oeste la Calzada de los Misterios.

Un centenar de hombres y mujeres con diferentes atuendos, todos uniformados. Los de verde olivo, miembros del ejército. Los de azul, elementos de la policía. Eran los únicos que podían estar dentro del perímetro, delineado por una cinta amarilla y las barricadas que prohibían el acceso a los automovilistas, ciclistas y peatones. El cerco policíaco abarcaba el museo, la antigua basílica, la capilla del pocito, el bautisterio, el carrillón, la capilla del cerrito, la Plaza de Las Américas y la Nueva Basílica de Guadalupe.

Los soldados encaminaron al profesor Elías hacia la puerta 2. Por alguna razón, nadie entraba o salía por la puerta principal. «Tantas horas que pasé en este lugar» ponderó Elías mientras trabajaba en su tesis doctoral sobre la santa manta. Al entrar por la puerta 2, junto a los confesionarios, Elías penetró en un ambiente iluminado por el tragaluz en lo alto de la iglesia, que permitía el ingreso de una luz crepuscular natural y que también facilitaba la salida de aire caliente para proveer ventilación natural. El profesor extendió su mano instintivamente para tocar una imagen en relieve de la Virgen, de color blanco y elaborada con un nylon de alta resistencia, acompañada por una descripción en braille. *«La Virgen de Guadalupe para los ciegos».* A Elías siempre se le hizo un gran gesto del artista italiano Franco Faranda que, en 2008, con el apoyo del Instituto Italiano, la donara a la Basílica y años después fuera bendecida por el papa Benedicto XVI.

Aparte de los militares y policías, había muchos hombres vestidos de saco y corbata negros con auriculares en el oído, que iban y venían por todos lados. «¿Dónde estaban todos estos de seguridad anoche?» pensó Elías. «La basílica tiene uno de los mejores sistemas de seguridad, un equipo humano con una gran preparación. Muchos de ellos tomaron cursos en el extranjero, al fin de vigilar a los veinte millones de fieles que cada año visitan la iglesia. Pero al parecer de nada de esto sirvió».

Elías caminó hasta el medio del pasillo de mármol, donde lo aguardaba el general Teófilo Baltazar.

CAPÍTULO 2

A ciento cuarenta y cinco kilómetros de distancia, el sol palideció un poco, eclipsándose tras una nube. César Nerón, mejor conocido como El Muñeco, robusto con el pecho abombado, de tez morena y con la cabeza completamente calva. Checaba constantemente su celular. Esperaba resignadamente frente a la casa que habitaba en San Andrés Cholula. Al quitarse los lentes oscuros, sobresalía el color de sus ojos, un tinte amarillento pálido muy particular, muy probablemente consecuencia de una disfunción del hígado, la vesícula biliar o del páncreas. Lo más escalofriante eran los tatuajes que tenía en los párpados: cuando cerraba los ojos tenía tatuada una pupila en cada uno de ellos. Un rostro tenebroso y macabro, te veía hasta cuando estaba dormido.

Ese era uno de los múltiples tatuajes que El Muñeco se había grabado en el cuerpo siendo miembro de una de las pandillas más violentas de México, el Barrio 18, una pandilla que estaba estrechamente ligada con la Mara Salvatrucha. Los miembros del Barrio 18 eran considerados sumamente violentos por las autoridades de México y de Estados Unidos.

La casa que habitaba fue construida en el siglo XVIII y los pobladores de San Luis Tehuiloyocan la conocían como la Casa del Diablo. Según cuentan los habitantes de la región, la casa fue cimentada por su dueño, el señor don Manuel Fabela, que era un acaudalado hombre de negocios y cuya prosperidad era atribuida con la fábula de haber hecho un pacto con el Anticristo.

Se rumoraba en esa época en Cholula que don Manuel cada año ofrendaba a algún trabajador de sus plantaciones a Satanás como pago por la prosperidad adquirida.

En el interior de la casa había inscripciones en latín escritas al revés. Según las creencias, al leerse de forma correcta se buscaba entablar una conexión directa con Dios y los ocultistas pensaban que al leerse al revés se dirigían al mismísimo Demonio. Por este motivo, cuando el municipio compró la casa para convertirla en la Biblioteca de Amoxcalli fue poco lo que duró, ya que muy poca gente la visitaba por el estigma que no logró quitarse de ser una casa embrujada.

No había sido casualidad que El Muñeco se hiciera de esta casa; es más, estaba en su destino que viviría ahí.

«¿Dónde chingados estarán?» se preguntó en voz alta El Muñeco, justo cuando un teléfono comenzó a sonar dentro de la casa. Avivamente, el hombre cruzó la puerta de la casa que tenía en su fachada pequeñas piedras volcánicas que formaban imágenes de animales, otras representaban actividades humanas, otras eran símbolos religiosos y en toda la entrada, dos monos con gestos guasones, portando gorros eclesiásticos mientras mostraban sus genitales.

—Dime —exigió respuesta El Muñeco, contestando el teléfono.

—Tenemos un problema —respondió una voz varonil.

—Ya sabes lo que tienes que hacer.

—Nos va a tomar un poco más de tiempo en hacer la entrega.

Una pequeña pausa, analizando la situación.

—Tiempo es lo que no tenemos.

—Ni yo, ni ustedes, ni nadie.

Un largo suspiro se escuchó por el auricular.

—Lo sé, lo sé muy bien.

Antes de colgar el teléfono, El Muñeco le gritó a alguien en la casa: «¡Tráeme a otro!»

Volvió a la llamada:

—Estamos muy cerca de nuestro destino.

Dos varones se cuadraron rígidamente y en silencio obedecieron la orden.

Al abrir el doble cerrojo de la puerta hacia el sótano se sintió una pestilencia asfixiante, un estercolero hediondo. Haciendo caso omiso a la fetidez, ambos bajaron las escaleras hacia la oscuridad.

Segundos después, por la bochornosa tenebrosidad se vislumbraron tres figuras que subían por las escaleras: los dos hombres traían a un joven, semidesnudo, cubierto con un taparrabos.

Cada uno lo iba tomando de una axila. Una expresión de incredulidad y de asombro aparecía en el rostro del joven adulto, entrecerrando los ojos al sentir el sol de esa mañana de verano. En la comisura de la boca tenía gotas blancas de saliva seca.

Los adoquines del suelo se comenzaron a teñir de sangre a su paso por las rodillas que le arrastraban en la piedra volcánica.

Los primates, labrados en piedra en las paredes, parecían alegrarse de lo que estaba sucediendo.

Al fondo del patio había un pozo circular, cubierto con una enorme piedra labrada con diferentes jeroglíficos.

Afuera en el patio había tres hombres más. El nombre de los cinco era Los Chachalmecas, que significaba «ministro de cosas divinas». Entre los cinco colocaron al joven sobre la piedra, dos le jalaban los brazos, otros dos los pies y el quinto lo tomaba por el cogote, quedando extendido sobre la piedra circular como el *Hombre de Vitruvio* de Leonardo da Vinci.

El Muñeco se acercó de manera mansa viendo hacia abajo en su caminar. En sus manos traía un trapo rojo que envolvía algo.

—*Nacatl tepochtli, nimitstlatlauki.*

Sus ojos amarillos se iluminaron, sonaba como una nota de horror.

—Carne joven… te lo pido, por favor —repetían los cinco hombres al unísono.

Seguía avanzando lentamente hacia el pozo.

—*Nacatl tepochtli, nimitstlatlauki.*

Del trapo sacó una daga muy especial: la cuchilla era de vidrio volcánico llamada obsidiana. Su color es verde cristalino, producto del enfriamiento demasiado rápido de la roca ígnea volcánica a su contacto con el agua, lo que permite la cristalización de la lava. Y al trabajarlo puede ser más filoso que el acero quirúrgico.

—Carne joven… te lo pido, por favor.

Volteó al cielo y repitió:

—*Nacatl tepochtli, nimitstlatlauki.*

—Carne joven… te lo pido, por favor.

El joven estaba completamente perdido, lo tenían narcotizado, sus facciones mostraban el pánico interno que sentía. Sus ojos muy abiertos estaban llenos de espanto, una mirada de terror, de pavor, pero aun así de sus labios no salía una sola palabra.

De un solo golpe hundió el pedernal justo debajo del esternón. El chachalmeca que sostenía el cuello jaló con fuerza para abrir más la herida.

El Muñeco soltó el puñal con la mano izquierda, mientras cortaba más con la derecha.

En un instante metió la mano en la herida del joven y se esforzó para meter hasta la muñeca en su interior.

El joven se retorcía al entrar en shock, los cuatro hombres jalaban más fuertes de sus extremidades. El terror se apoderaba del rostro del joven, pero ni una sola palabra o queja salía de sus labios. Solo ruidos extraños, como si se estuviera ahogando.

El Muñeco agarró algo dentro del esternón del joven, forcejeando un poco, y de un fuerte tirón sacó el brazo completamente ensangrentado y en su puño traía el corazón aún latiendo. Sus ojos amarillos resplandecían con el fulgor de cien luciérnagas en una cueva.

—*Nimitslatlaukilia nacatl tepochtli senka tlasojkamati.*

Tiró el corazón en un fogón y regresó a la casa.

CAPÍTULO 3

«Miles de personas han entrado de rodillas», pensó Elías, al admirar el piso de mármol extraído de Santo Tomás, Puebla, que erróneamente lo adquirieron martelinado. «Qué bueno que el arquitecto ordenó que se puliera en toda la parte del centro para no rasparle las rodillas a todos esos feligreses que entran a pagar sus mandas».

—Me imagino que ya se enteró de la noticia —aseveró el general Teófilo Baltazar, con un tono firme, sin rodeos, y con mirada penetrante y sin parpadear sobre el profesor.

Alto, demacrado y muy erguido, con el labio inferior prominente, lo que hacía más notoria su mandíbula. Su uniforme verde olivo pegado al cuerpo era el nuevo diseño de la Secretaría de la Defensa Nacional, la SEDENA; más ergonométricos, permitía mejor movilidad, además de que las telas tenían la cualidad de ser invisibles ante los equipos de visión nocturna. La nueva indumentaria era una combinación de tecnología y comodidad según había publicado la SEDENA. En el cuello de la camisa portaba el símbolo de las cuatro estrellas, justo arriba del escudo nacional, y en el pecho tenía una medalla del guerrero azteca Tlacatecuhtli, cuyo nombre significa jefe supremo.

Elías extendió su mano para saludar antes de contestar.

—Elías Ortega.

El general extendió su mano dura y áspera para responder al saludo.

—Sí, me enteré en la mañana por las noticias. Una verdadera tragedia.

—Impresionante curriculum —comentó el general, leyendo sus notas—. *El misterio de la Guadalupana*, *La matemática y la religión, Hitler y el Sudario de Turín.* Doctorado en Matemáticas, Maestría en Religión. ¿Me falta algo? Ah sí, y exoficial de la GAFE, pero veo en el registro que no salió del todo bien.

Un *flashback* pasó por la cabeza del entonces capitán primero de las Fuerzas Especiales del Ejército Mexicano, situándolo a 2060 metros a nivel del mar en la espesa selva del estado de Michoacán.

—¡Aborta la misión… aborta, aborta! —gritó a todo pulmón por el *walkie-talkie.*

Al no tener respuesta, salió corriendo del vehículo donde se encontraba hacia la tupida maleza. Apenas había dado un par de pasos cuando una tremenda explosión dentro de la selva lo aventó con gran fuerza en contra del vehículo militar. Su último recuerdo era la de un soldado tomando su mano ensangrentada y diciéndole:

—Tranquilo, Capi, tranquilo.

—Eso fue hace más de quince años que salí del ejército. Y sí, era parte del Grupo Aeromóvil de las Fuerzas Especiales del Ejército Mexicano. Ahora soy titular en la UNAM, en Estudios Iconográficos Prehispánicos —declaró con cierto orgullo Elías—. Pero ¿por qué me trajeron aquí y en contra de mi voluntad? Yo tengo clases en la…

Su pregunta fue contestada con un silencio negativo y sin responderla el general lo trabó:

—No lo traje aquí por lo que pasó hace quince años en la selva de Parangaricutiro. No es por eso, profesor —prosiguió su plática el general—. De todas las personas que se mencionaron, el nombre de usted sobrepasa a los demás. Tengo algo que le va a interesar, y me gustaría tener su opinión.

La entrada principal de la basílica estaba fuertemente custodiada por soldados que portaban el fusil FX-05, mejor conocido como el Xiuhcoátl[1]. Era un orgullo del ejército mexica-

---

1 Serpiente de fuego en lengua náhuatl.

no el haber creado y desarrollado esta arma calibre 5,56 mm, que tenía una recarga accionada por gas para poderla disparar mojada, cubierta en lodo o incluso hasta debajo del agua, ya que podía soltar una ráfaga de tres disparos en modo semiautomático o vaciar las treinta balas del cargador en modo automático.

Elías estaba sorprendido y disgustado, pero comprendió que un robo de esta magnitud era un caso federal, desde que en 1972 el presidente de México, Luis Echeverría Álvarez, firmara el decreto de la Ley Federal sobre monumentos y zonas arqueológicas, artísticos e históricos.

Recordó muy bien los dos artículos que definían esto:

Artículo 35. Son monumentos históricos los bienes vinculados con la historia de la nación, a partir del establecimiento de la cultura hispana en el país, en los términos de la declaración respectiva o por determinación de la Ley.

Y más específicamente el artículo 36:

Artículo 36. Por determinación de esta Ley son monumentos históricos: I. Los inmuebles construidos o creados en los siglos XVI al XIX, destinados a templos y sus anexos: arzobispados, obispados, seminarios, conventos o cualquier otro inmueble dedicado a la administración, divulgación, enseñanza o practica de un culto religioso.

—Me imagino que ya analizaron el video del robo —comentó Elías, volteando a ver una de las cincuenta y cinco cámaras de seguridad que estaban dentro y fuera de la basílica.

—Accedieron al servidor antes de entrar y todas las cámaras fueron desconectadas, así como la alarma del sistema del camarín retráctil —respondió el general, señalando la cámara justo enfrente del templo, la cámara más importante para el culto mariano en México—. Incluyendo la filmadora que transmite en vivo para YouTube.

—Tuvieron acceso a las cámaras dentro de la basílica. Pero debe de haber algún registro en el sistema C5 de las cámaras de videovigilancia en las calles.

El sistema C5 es el sistema de videovigilancia más avanzado de toda Latinoamérica, el cual opera más de 15 mil cámaras 4K en 14 municipios del Estado de México; es algo que se podría denominar el Big Brother Mexicano en temas de seguridad. Estas detectan las placas vehiculares y algunas de las cámaras tienen reconocimiento facial. El Centro de Control, Comando, Comunicación, Cómputo y Calidad está ubicado en la ciudad de Toluca, tiene capacidad para almacenar todos los videos hasta treinta días antes de eliminarlos por completo, utilizando discos duros de 3 Petabytes en cada uno de sus servidores.

Haciendo un gesto de frustración, el general respondió:

—No, desgraciadamente la cámara en esta intersección es una de las que está fuera de servicio. Es como si los ladrones supieran exactamente por dónde salir para no ser detectados.

—Así que ¿no hay pista sobre los rateros? —Elías preguntó con cierto tono burlón.

Podía distinguir el clásico olor del incienso recién quemado en el ambiente de la basílica, un olor que le resultaba espiritualmente inspirador. «Incienso de sándalo», pensó el profesor.

—¿Pistas?… sí dejaron —repitió el general, haciendo una pausa para respirar hondo—. Ahí es donde quisiera su opinión.

Caminando hacia el presbiterio, el general señaló algo justo detrás del altar que fue tallado de un bloque de piedra extraído del cerro del Tepeyac.

Detrás del altar, Elías vio algo que le extrañó. La cabeza de una estatua posicionada de tal manera que miraba hacia arriba. Justo donde debería de estar la tilma de Juan Diego, con la imagen de Nuestra Señora de Guadalupe.

—Parece ser la cabeza de uno de los arcángeles —indicó Elías bajo un suspiro.

El general clavó su mirada en el rostro de Elías para ver su reacción: la comisura de su boca se frunció irónicamente.

—Sí, es la cabeza del arcángel Gabriel, lo que no entiendo es por qué.

—En 1950, el escultor Ernesto Tamariz hizo cuatro esculturas de los arcángeles Miguel, Rafael, Uriel y Gabriel, que fueron colocadas en el Tepeyac para custodiar la basílica —manifestó Elías—. Lo curioso es que esas cuatro estatuas están afuera de la iglesia. A la vista de todo el mundo.

—Pero ¿por qué Gabriel? —volvió a preguntar el general, mientras sacaba un bloc de notas, en el cual comenzó a garrapatear desesperadamente lo que decía el profesor.

—San Gabriel es el mensajero divino. El que con su luz anunció el nacimiento de Jesús, y fue el encargado de adjudicar el Corán a Mahoma.

—¿El mensajero divino? Entonces ¿qué mensaje nos puede indicar esto?

—Gabriel es el jefe de los ángeles de la guarda. Es el ángel de la resurrección —hizo una pausa, y volteó a ver al general—: Pero también es el ángel de la muerte. Es el que acompaña a las almas cuando dejan este mundo.

Las palabras del profesor provocaron un extraño escalofrío en la espalda del general.

De repente el techo de la basílica, que está hecho de lámina de cobre acanalada y platinada por fuera y forrada de madera canadiense por dentro, comenzó a crujir. Los vitrales que rodean el piso superior de la estructura, y que por su diseño siempre son coloridos desde afuera ya sea de día o de noche, se comenzaron a mover en un ligero vaivén, haciendo que la luz, que se filtraba por los cristales de colores en los vitrales, cambiase de color con cada movimiento, como el efecto alejandrita de las gemas preciosas que cambian de color según sea el grado de iluminación que reciben.

Todos dentro de la basílica se quedaron inmóviles.

Se produjo una pequeña pausa; después el general continuó:

—Un pequeño temblor —dijo el militar con una sonrisa, con esa barbilla retadora, tratando de minimizar lo sucedido.

«Lo bueno es que la basílica se construyó pensando en este tipo de fenómenos» pensó Elías.

—Son trescientos pilotes, más el mástil central, que están enterrados hasta alcanzar terreno sólido, los que hacen de la basílica un lugar bastante seguro —aclaró Elías.

El pequeño movimiento telúrico hizo que la cabeza del arcángel Gabriel cayera de su posición, dejando ver el número cuarenta pintado de rojo en el mármol blanco del presbiterio.

—¿Y eso? Parece estar pintado con sangre —exclamó el general—. ¿Por qué el número cuarenta?

—Esto podría tener muchos significados —contestó Elías, sin vacilar—. Si es algo religioso, la Biblia está llena de números, supuestamente para que podamos entender a Dios. El número cuarenta es mencionado en múltiples ocasiones en la Biblia —se inclinó para ver de cerca—. En la Biblia se utiliza de dos maneras: cuarenta como un número de purificación, preparación y de restauración. Cuando el hombre está en comunión con Dios.

Elías volteó a ver al general y le dijo en un tono más serio:

—Pero también el número cuarenta hace referencia al castigo, a la destrucción y a la exterminación. Cuando el hombre está en contra de Dios.

Con un doctorado en Matemáticas y una maestría en Religión, Elías sabía muy bien de lo que estaba hablando. Sus ojos verdes centelleaban muy vivos, era evidente que dar a conocer sus conocimientos ante un general del ejército le producía un intenso placer.

—El diluvio se dio por cuarenta días y cuarenta noches, tiempo suficiente para ahogar a toda la humanidad, dejando solo a Noó y a todos los tripulantes de su Arca.

El general escuchaba atentamente, haciendo sus anotaciones en la libreta, con la mano izquierda bien puesta agarrando la pluma y con la derecha sosteniendo el cuadernillo. Una pequeña gota de sudor se resbaló de su frente a la hoja de papel. Se notaba el estrés que esto representaba.

—Los israelitas pasaron cuarenta años en el desierto, tiempo necesario para que la generación infiel fuera reemplazada por otra generación. Moisés se quedó cuarenta días en el Monte Sinaí, Elías caminó cuarenta días, incluso Jesús ayunó durante cuarenta días para marcar su transición de la vida privada a la pública. Las connotaciones pueden ser muchas —terminó diciendo el profesor Ortega—. Pero ¿cómo fue que los ladrones tuvieron acceso al sistema retráctil donde se encontraba la Virgen? —preguntó Elías, tratando de restarle importancia al temblor—. Muy poca gente tiene acceso a ese lugar del altar.

Elías se refería al camarín de la Virgen, una bóveda de acceso limitado, ubicado a espaldas del Altar Mayor. Algo que asemejaba una caja fuerte de un banco. Este ingenioso dispositivo se diseñó ocho años después de la apertura del templo. Es un sistema retráctil que saca a la Virgen de la ventana y la sitúa en una posición vertical para que sea venerada por todos los fieles que pasan por una banda en movimiento, que les permite el tiempo suficiente para rezar un avemaría mientras circulan enfrente de la Virgen. El dispositivo gira 90 grados sobre su eje vertical situado a su lado izquierdo.

El bastidor, que contiene la tilma de Juan Diego, está hecho de acero inoxidable con un marco dorado de 2,5 centímetros de anchura. Los cuatro lados de la Virgen están cubiertos por metal, el respaldo lo cubre una placa de plata también pintada en color dorado y el cristal antibalas que la protege. Este dispositivo del camarín permite que la Virgen también sea presentada en el retablo que se encuentra en el mástil central durante la misa.

—Eso es precisamente lo que le quiero mostrar —comentó el general Baltazar—. Le quiero dejar muy en claro que todo esto es confidencial, ¡nada de esto se puede dar a conocer! ¿Entendido?

Elías asintió con la cabeza.

—Entendido.

CAPÍTULO 4

«Santa María Madre de Dios, ruega por nosotros los pecadores, ahora y en la hora de nuestra muerte. Amén». Después de haber rezado cincuenta y nueve padrenuestros y diez avemarías, el seminarista Moisés Cahuich terminó de adorar el rosario frente al sepulcro de su madre. Tumba que se encontraba en la cripta guadalupana, justo debajo del presbiterio de la basílica, lugar que tiene 15 718 mausoleos distribuidos en dieciséis pasillos.

Así como los rangos en el ejército, los hombres de la Iglesia conocen su jerarquía por medio del listón que llevan en la cintura: los sacerdotes de negro, rojo para los cardenales y azul para los seminaristas. Azul era el color que portaba Moisés, siguiendo el código canónico 136, que impone el hábito eclesiástico a todos los sacerdotes que portan la sotana negra hasta los talones.

El color negro recuerda a todos que el que lo lleva ha muerto al mundo. Todas las vanidades han muerto para ese ser humano que ya solo ha de vivir para Dios.

Moisés venía todas las madrugadas a rezarle el rosario a su madre que había fallecido a causa de la COVID-19, el coronavirus que mantuvo en vilo a todo el mundo en la primavera y el verano de 2020. Su madre Matilde, así como miles de personas en todo el mundo, comenzó con una ligera infección, con dolores de cuerpo, fiebre y tos. Pensó que con reposo en la cama y beber muchos líquidos se le pasaría en una semana. Pero estaba muy equivocada, el virus viajó de la boca a la tráquea y de ahí a los pulmones. De ser una ligera infección pasó a ser neumonía, los pequeños sacos de aire de los pulmones se le comenzaron a llenar de agua, causando dificultad para respirar. Moisés se encontraba en Barcelona, España, en la confraternización de sacerdotes de donde luego viajarían a Tierra Santa. Pero todo se canceló por la epidemia que cundió en el mundo. Trató de regresar de inmediato, tras conocer la noticia de su madre, pero todos los vuelos habían sido suspendidos, por lo que jamás pudo volver a ver a su madre con vida. Tal vez no fue el coronavirus el que la mató, sino una negligencia de las enfermeras del Hospital Seguro Social, que al tenerla entubada para administrarle más oxígeno a los pulmones abrieron demasiado la válvula y le explotaron el pulmón derecho. Lo que hubiera sido, Moisés jamás volvió a tener contacto con ella. Falleció en menos de veinte días, tras haber presentado los primeros síntomas.

Esa era una de las razones por las cuales la asistencia había disminuido considerablemente en la Basílica de Guadalupe y en todas las iglesias del mundo.

Durante esa pandemia, el monseñor José Ávila había mandado un videomensaje por los medios sociales de la Basílica de Guadalupe A. R. «Quiero llevarles un mensaje de esperanza, un mensaje de fe, en estos días es importante considerar que si ustedes están planeando venir a este santuario, lo eviten. No en estos días. En estos momentos no conviene que haya grandes concentraciones de personas» dijo el eclesiástico. Poco a poco, a medida que el confinamiento empezaba a levantarse, la concurrencia empezó a aumentar, pero la asistencia seguía baja.

Por eso, esa madrugada se le hizo raro a Moisés percibir ruidos extraños en la iglesia al terminar su rosario. Al salir de la cripta guadalupana, el eclesiástico vio a cuatro hombres vestidos de negro con las caras pintadas, dos de ellos portaban una ametralladora al costado. Avivadamente, el seminarista se ocultó detrás de las decenas de arreglos florales que estaban colocados justo al salir de las criptas a la izquierda del altar.

El joven de veintisiete años con figura redonda y labios regordetes tuvo suerte de que el arquitecto Pedro Ramírez Vásquez tomara la decisión cuando se construyó la nueva basílica que las flores se colocaran lejos del altar de la Morenita del Tepeyac, recordando el atentado del 14 de noviembre de 1921, en la Antigua Basílica de Guadalupe.

Alrededor de las 10:30 de la mañana, un hombre que portaba un ramo de flores caminó hacia la tilma de Juan Diego, colocó las flores debajo de ella y se alejó rápidamente. Instantes después un cartucho de dinamita detonó justo debajo de la Guadalupana. El estruendo fue tal que destruyó el altar, las gradas de mármol, los candelabros de latón y dobló un crucifijo de bronce de Nuestro Señor Jesucristo. Desde ese día se le conoce como el Cristo del Atentado.

Milagrosamente el manto de la Virgen quedó intacto, ni el cristal que la protegía de los elementos se rompió.

Nunca se dio con el paradero del verdadero culpable. Una de las teorías señalaba que todo había sido orquestado por el entonces presidente Álvaro Obregón, conocido por su postura radical en contra de la Iglesia católica, algo que nunca se comprobó.

Años después, Obregón fue asesinado por José de León Toral, un miembro de la milicia cristera que luchó en contra del Gobierno, resistiendo la llamada Ley Calles, la cual proponía limitar y controlar el culto católico en la Nación. El reporte del forense indicaba que el presidente electo había recibido seis disparos. La primera detonación fue a quemarropa en el rostro de la víctima, cuatro más en la espalda cuando ya estaba en el suelo y el último en el brazo derecho.

Moisés buscó la manera de ver bien lo que estaba pasando cerca del mástil central, justo donde está la cámara de la Virgen. Sin dejar de apoyarse en el muro que dividía el altar con la entrada a las criptas, se asomó entre las rosas, tulipanes y claveles.

No podía creer lo que veían sus ojos. «Se están robando a la Virgen» susurró para sí mismo.

Tuvo suerte de que los sacristanes de la última misa dejaron el enorme bulto de flores que trajeron los fieles los últimos días, porque esto le ayudó a esconderse y pasar inadvertido.

Los cuatro individuos, vestidos de negro y las caras pintadas, como guerreros aztecas, sabían muy bien cómo estaba conectado el camarín de la Virgen, habían estudiado la manera en la que debían desmontar el estuche para extraer limpiamente todo el mecanismo retractor donde se encuentra la tilma de la Morenita del Tepeyac.

Dos trabajaban dentro de la bóveda de acceso justo a las espaldas del Altar Mayor, utilizando sopletes portátiles, mientras que los otros dos trabajaban con taladros inalámbricos justo enfrente del retablo. En menos de cinco minutos los ladrones lograron quitar del sistema retráctil el contramarco, el estuche y la tilma de Juan Diego, cubriéndola con una manta verde.

Por primera vez desde 1985, el estuche que encierra la imagen de la Virgen de Guadalupe en un marco de acero inoxidable color dorado y una puerta de cristal se movía de lugar. En aquella ocasión fue para que el papa Juan Pablo II pudiera orar frente a la Virgen. Hoy, era para sacarla de su santuario.

El seminarista se palpó la sotana en busca de su celular, pero en ese momento se acordó que lo había olvidado junto al rosario en la cripta de su mamá. Por un segundo pensó en ir a recogerlo, pero se dio cuenta de que los ladrones se enfilaban hacia la salida. «Tengo que detenerlos…» murmuró Moisés, «¿qué hago, señor, qué hago?», se preguntaba una y otra vez.

Antes de salir hacia la Plaza de Las Américas, el ladrón que tenía la cara pintada como una calavera de rojo y azul volteó rápidamente para ver si alguien los seguía.

Moisés se quedó petrificado detrás del bulto de flores.

—Me pareció ver alguien adentro —comentó la calavera mientras levantaba su arma.

—Ni se te ocurra. Lo menos que queremos es llamar la atención aquí afuera —entre dientes le respondió el que tenía la cara pintada de jaguar.

Moisés contuvo el aliento para no hacer ningún ruido. Esperó a que los ladrones salieran de la basílica para ir tras ellos. Pero en cuanto trató de dar el primer paso, cayó pesadamente tras pisar su sotana con el pie derecho. Rápidamente se recogió la sotana y se encaminó hacia la salida.

En la Calzada de los Misterios y avenida Montevideo, un autobús escolar Mercedes Benz G85-6 con capacidad para treinta y nueve pasajeros estaba mal estacionado en las afueras de la Basílica de Guadalupe, con las luces intermitentes prendidas. Los pocos autos que circulaban a esa hora de la madrugada se tenían que cambiar de línea para evitarlo.

El conductor estaba nervioso, presionando ligeramente el acelerador, haciendo rugir el motor de 190 caballos de fuerza.

Una cerca de metal de unos tres metros de altura divide la Calzada de los Misterios y la basílica para tratar de controlar la entrada de los feligreses a la iglesia. La muralla tiene dos puertas de acceso abiertas, justo donde marcan las rayas blancas el paso peatonal en la Calzada, fue ahí donde el chofer del autobús esperaba impacientemente.

«Vámonos» le indicó el hombre con la cara pintada de jaguar, mientras colocaban la manta verde que contenía el estuche de acero inoxidable con la imagen de la Virgen en la parte de atrás del autobús, al cual le habían quitado los últimos nueve asientos para dar cabida a la reliquia sagrada.

Moisés salió hacia la penumbra de la madrugada. El clima era un poco más frío de lo habitual, el ambiente iluminado por una luz crepuscular de los faroles en las afueras de la basílica hacía que las sombras de la gente se vieran de una manera fantasmagórica. Al salir se dirigió directamente hacia el estacionamiento, al lado de la iglesia que protegía a la Guadalupana, volteando constantemente hacia la calle para ver qué ruta tomaba y hacia dónde se dirigía el autobús amarillo.

Afortunadamente para él, había encontrado estacionamiento cerca de la salida de la estructura gracias a que los sacristanes y sacerdotes tienen varios lugares apartados en el aparcamiento público.

La bruma y el *smog* alrededor de la Plaza de Las Américas no permitía ver más allá de veinte metros. El seminarista metió a fondo el acelerador de su VW sedán del 72, auto que había sido pintado en un par de ocasiones sin respetar los colores de catálogo de la época y mucho menos el grosor de la pintura.

Al salir del estacionamiento, el seminarista viró hacia la Prolongación Misterios, pasando por el Monumento a los Indios Verdes. No habían pasado ni cuatro kilómetros cuando vio al autobús amarillo justo enfrente de él.

Al parecer su trayectoria era hacia la autopista México-Puebla.

Sin pensarlo dos veces, Moisés se coló en el tráfico y se ubicó dos autos atrás del autobús, que seguía su marcha hacia la autopista.

CAPÍTULO 5

A pesar de que no era el 12 de diciembre, fecha en que se celebra la aparición de la Virgen de Guadalupe a Juan Diego, en las afueras de la basílica ya se habían congregado miles de fieles y devotos de la Virgen Morena que, tras enterarse del robo, de inmediato salieron a mostrar su disgusto y apoyo a la Morenita. Decenas de ellos portaban imágenes y figuras de la Guadalupana, algunos trataban de cruzar el cerco policíaco solo para verse rechazados por los soldados que guarnecían la iglesia y toda la Plaza de Las Américas.

Ese día no solo se presentaron los feligreses católicos, también había protestantes, pentecostales, evangélicos, adventistas del séptimo día, iglesia de Jesucristo de los Santos de los Últimos Días, testigos de Jehová, judíos y, finalmente, alguno que otro sin religión.

El general comenzó a caminar hacia uno de los extremos de la basílica, hacia la escalera que permite el acceso al segundo nivel donde se encuentran nueve capillas cada una con capacidad para ciento cincuenta feligreses. En cada una de ellas se puede realizar una misa independiente o participar en la misa del altar mayor.

—Esto que va a ver no se ha hecho público —comentó el general Baltazar, al entrar en una de las capillas con las paredes forradas de cantera roja.

Un par de paramédicos, en batas blancas y las manos embutidas en guantes de látex de un color pálido, trataban de estabilizar a un sacerdote que yacía en la camilla. De repente, el sacerdote entró en shock a causa del intenso dolor, haciendo movimientos convulsivos y agitando manos y pies. Los enfermeros lo tenían que sostener firmemente para que uno de ellos introdujera por la arteria cubital una aguja larga y delgada de una jeringa que contenía un líquido gelatinoso.

—*Jesus, forgive them* —dijo el sacerdote, antes de quedar sedado en la camilla.

El general y Elías se acercaron a la camilla. Las muñecas del sacerdote estaban visiblemente marcadas con sangre seca, asimismo en el cuello tenía las marcas de una soga. Al fondo de la capilla, una cruz yacía en el suelo.

—Parece que lo amarraron a la cruz y le hicieron esto.

Le abrió la sotana y la camisa, mostrando la frase *Con Chita*, una quemadura de segundo grado en el pecho que le había afectado la capa externa y la subyacente de la piel, roja, hinchada y ampollada.

—¿Tiene alguna idea de por qué *Con Chita*?

Una expresión de sorpresa y pena apareció en el rostro del profesor.

—Con Chita. No tengo la menor idea —Elías dio un paso atrás, aspirando profundamente.

—Está anestesiado —comentó el paramédico.

—Tengo que hacerle varias preguntas —dijo tajantemente el general Baltazar.

—Imposible en este estado, lo llevaremos al hospital militar. Ahí podrá hablar con él —dijo el paramédico mientras rodaban la camilla hacia la salida.

La luz que penetraba en la capilla a través de los vitrales de colores y de las velas prendidas mantenían iluminado cada espacio del lugar sagrado.

«Con Chita» volvió a repetir Elías, tratando de entender alguna relación del nombre con la tilma de Juan Diego.

—Cada una de las letras fue marcada por separado —señaló el paramédico antes de salir de la capilla.

Al salir los paramédicos, entró Paola Zepeda. Su blazer tenía el emblema con dos rayas en los hombros, lo que indicaba que era teniente.

—La marcación se hizo en frío —comentó la doctora Zepeda mientras caminaba con pasos largos y firmes con su falda y blazer verde oliva. Su pelo negro recogido en una cola de caballo y una boina de lado acentuaban su belleza de tez morena.

—La teniente Paola Zepeda —el general Baltazar se la presentó a Elías—. ¿Cómo que marcación en frío?

—Doctor Ortega, un placer —saludó Paola mientras extendía su mano. Sus labios rojos procuraban un tono estrictamente profesional—. La marcación que se utilizó en el sacerdote fue con fierros de cobre enfriados con nitrógeno.

—Explíquese mejor —le refutó el general.

—El cobre es un elemento que conserva mucho mejor el frío, este se congela en nitrógeno líquido a una temperatura de 190 grados bajo cero. Utilizaron ocho fierros diferentes para marcar todo el pecho del sacerdote. Esta es una técnica que se utiliza desde hace unos años con el ganado bovino y equino —explicó la doctora, mientras se acercaba a la cruz en el suelo.

Al pasar al lado de Elías:

—Mi padre era ranchero —le dijo muy despacito—. El sacerdote fue amarrado en esta cruz antes de ser marcado. Creo que los agresores pensaron que lo habían matado por la manera en que le ataron la soga en el cuello para evitar que se moviera. Estuvo por lo menos diez horas amarrado en esta posición.

Elías se acercó hacia el altar, donde estaba la cruz.

—¿Quién es el sacerdote?

—Su nombre es John Balda, es un arzobispo de la Arquidiócesis de Boston —respondió Paola, dejando al general con la palabra en la boca—. Desde hace diez años hace esta peregrinación junto a un grupo de feligreses americanos. Lo que no sabemos es qué hacía aquí anoche.

Elías comenzó a analizar las ataduras que habían utilizado en las muñecas y en el cuello.

—Este no es un hilo común y corriente —explicó mientras tocaba la fibra del material—. Están hechas de pita o ixtle que proviene del maguey. Son muy parecidas a las sogas que se usan en la charrería, ligeras y muy fuertes —se giró para ver a Paola y le dijo—: Mi padre fue charro.

—¿Marcado en ocho ocasiones, amarrados por más de diez horas y nunca gritó o pidió ayuda? —se preguntó el general.

—Lo más probable es que lo hicieran cuando ya estaba inconsciente —respondió Paola.

—General, tiene que venir a ver esto, acá afuera —replicó el *walkie-talkie* del general.

—Voy enseguida.

Los rayos del sol relucían en toda su magnificencia como miel caliente derritiéndose sobre el cerro del Tepeyac, situado al norte de la Ciudad de México.

El cerro es parte de la sierra de Guadalupe, que limita al norte con el valle de México y al sur con la Basílica de Guadalupe. En tiempos de los aztecas, este cerro era el adoratorio a Coatlicue, la mujer de la falda de serpientes, que tiene pies y manos en forma de garras y el pecho cubierto de pequeños cráneos de fetos y corazones humanos. Su cabeza son dos serpientes encontradas, que simulan los chorros de sangre que brotan de su cuello al ser decapitada.

Coatlicue era venerada como la madre de todos los dioses, incluyendo al principal dios de los aztecas: Huitzilopochtli. Los aztecas representaban a Coatlicue como la diosa más mortífera de todas sus divinidades. Era un monstruo insaciable, que devoraba todo a su paso, incluyendo los cuerpos celestes del sol y la luna que desaparecen tras ella.

El Tepeyacac, como le decían los aztecas al cerro, está situado en medio de una calzada que cruza el lago Texcoco y que conecta la Ciudad de México con Tenochtitlan, la capital de los mexicas.

—Es el carillón —comentó el teniente, sosteniendo un radio de mochila táctico de HF/VHF 5800H-MP FALCON II, que permite la comunicación encriptada, resistente a interferencias y que posee un sistema de posicionamiento global, mejor conocido como GPS, que manda una señal automática de reporte y ubicación.

Al salir de la basílica, la cálida y brillante luz de la tarde los obligó a parpadear. A unos cien metros de distancia de la entrada de la iglesia está el carillón, a la izquierda está el Templo Expiatorio a Cristo Rey, el antiguo santuario de indios y la Parroquia de Santa María de Guadalupe Capuchinas.

El general dio una aspiración profunda, levantó los ojos al cielo viendo los helicópteros de los medios de prensa que cruzaban por los cielos; el tronar de las hélices se mezclaba con los gritos de las cientos de personas que estaban en las calles aldeañas a la basílica. «Alejen a toda la gente, no quiero ver a nadie cerca de ahí» comentó Baltazar, mientras agitaba la mano, caminando hacia esa enorme estructura de veintitrés metros de altura con forma de cruz.

La idea original del carillón era que funcionara como campanario de la basílica, ya que cuenta con cuarenta y ocho campanas, pero en el transcurso del tiempo y con diferentes proyectos se le fueron adicionando diferentes tipos de relojes. Tiene un reloj ordinario en la parte superior, un reloj con carátula romana, un reloj solar, un reloj con el calendario azteca, un astrolabio o buscador de estrellas. Y cada dos horas en la parte frontal se abre una compuerta para mostrar un escenario circular donde unas figuras robóticas cuentan la historia del acontecimiento guadalupano.

—Todos los relojes marcan las 12:47" —le señaló el teniente.

—¿Cómo que todos marcan las 12:47?" —con un extraño gesto preguntó el general.

—Todos fueron detenidos marcando las 12:47 —exclamó el teniente.

—Estos relojes se pueden ajustar desde adentro del carillón —comentó Elías—. Pero ¿cómo es posible que hayan tenido acceso a todos estos lugares?

—Pero ¿qué significa 12:47? —preguntó Paola.

Elías caminó alrededor del carillón, viendo con asombro más detalles. «El reloj azteca, ¡lo detuvieron en la luna menguante!». Mirando detenidamente el reloj azteca tratando de recordar algunos de sus significados, comentó:

—Detuvieron el reloj en la luna menguante, en el día 15, el día de Cuauhtli, el día del águila —hizo una pausa—: La manecilla también muestra la tercera época cosmológica en la que todo se extinguió por una precipitación de lava y fuego, la época de Quiauhtonatiuh, la época de la lluvia de fuego.

Paola escuchaba con atención mientras caminaba hacia el frente del inmenso campanario.

Sacó su teléfono celular, abrió una aplicación y volteó al firmamento, volteando constantemente hacia el carillón.

—El astrolabio lo detuvieron señalando a Marte.

—¿Cómo sabes eso? —preguntó Elías, mientras el general tomaba nota de lo que decía.

—En la escuela militar, antes de graduarme de doctor, estuve en la fuerza aérea como piloto del avión de transporte CASA C-295. Estuve dos años, antes de transferir mis cursos a Medicina —respondió Paola—. Y aunque jamás lo utilicé, sé cómo leer un astrolabio para navegación. Y este específicamente está mostrando el planeta Marte —terminó, tajantemente.

—La cabeza de Gabriel, el sacerdote con la palabra *con chita*, la luna menguante, el día del águila, el planeta Marte. ¿Qué significa todo esto? —refunfuñó el general, mientras leía sus notas—. Oh, y se me olvidaba, los números 40 y 12:47.

—Estamos a 13, en dos días será 15. Además, concuerda con la luna menguante —respondió Paola.

—¡Doctora, no tenemos dos días! —respondió el general mientras se volteaba hacia los dos—. ¡No podemos tardar días en recuperar la imagen de la Virgen! ¡Tenemos horas!

—¡General, general! —interrumpió uno de los soldados—. Solo tenemos un seminarista ausente que trabajaba en ese horario —dijo el soldado, viendo sus notas.

¿Cómo que ausente? Les dije que nadie se podía ir.

—Moisés Cahuich —dijo el soldado—. Es el único ausente que trabajaba en ese horario. Encontramos su celular entre las criptas de la basílica. Pero ni pista de él o su paradero.

Las cuarenta y ocho campanas del carrillón, diecinueve de ellas circulares, comenzaron a tocar una melodía de Francisco Gabilondo Soler, mejor conocido como Cri-Cri, el grillito cantor. La melodía era de la canción «La muñeca fea».

La compuerta del escenario circular se abrió lentamente, como lo hace cada dos horas. La figura robótica de Juan Diego comenzó a caminar, pero se atascó al toparse con algo en el suelo.

Una gran serpiente dentro del carrillón, no una, decenas de víboras, salieron por todas partes, emitiendo ruidos y silbidos que se mezclaban con el talán y el tolón de las campanas. Los ojillos cafés de Paola se abrían y cerraban de espanto al ver a tanto reptil saliendo del carrillón. Si había un animal que ella detestaba eran las serpientes, en especial las venenosas, que podían matar a un hombre en pocos minutos. Fue precisamente una víbora cascabel la que acabó con la vida de su abuelo mientras trabajaba arreglando una cerca en su rancho. Su abuelo jamás vio a la serpiente que lo mordió y le inyectó su veneno mortal, impidiendo la coagulación de la sangre, afectando su sistema nervioso, terminando con una hemorragia interna e insuficiencia cardiaca. Esta había sido una de las razones principales por las cuales Paola estudió Medicina. Porque cuando su abuelo regresó a la casa, tras ser mordido, ella no pudo hacer nada para salvarle la vida.

Fue en ese instante cuando un grupo de personas entre la multitud, al ver que salían réptiles del carrillón, se dio media vuelta y se marchó, mientras el resto de la gente veía con asombro lo que sucedía. Al darse vuelta, uno de ellos mostró el banderín que portaba. La bandera de México con la imagen de la Guadalupana arriba del sello nacional.

Elías comenzó a tararear la canción de Cri-Cri, para tratar de encontrar la letra:

«Muñequita le dijo el ratón
ya no llores tontita no tienes razón,

tus amigos no son los del mundo
porque te olvidaron en este rincón.
Nosotros no somos así».

CAPÍTULO 6

El Volkswagen sedán se movía ligeramente entre el tráfico en la autopista México-Puebla, delante del autobús amarillo que transportaba la imagen de la Virgen de Guadalupe.

«Seis años de mi vida en el seminario, donde nunca pasó nada emocionante», pensó Moisés. «*Ora et labora*; reza y trabaja». El joven regordete sabía que, por una razón u otra, los sacerdotes siempre le asignaban los trabajos domésticos, las cosas que nadie quería hacer. Limpiar las mesas, lavar platos, fregar baños, barrer el claustro, siempre los trabajos tediosos y monótonos. Pero hoy, en sus manos estaba el futuro de la Guadalupana.

El tráfico en la autopista comenzó a hacerse más intenso justo a la entrada del Monte Tláloc y el Volcán Iztaccíhuatl. Obras públicas había cerrado uno de los carriles para hacer mantenimiento. En un momento todos los autos se detuvieron en la autopista.

—¡Préstame tu celular, es urgente! —le gritó Moisés a una pasajera a su izquierda que texteaba en su celular.

—Sí, por supuesto —le respondió la muchacha mientras apretaba el botón para subir la ventanilla.

Moisés le hacía señas para que la bajara, aprovechando que los autos estaban detenidos uno junto al otro.

—Por favor, es de suma importancia.

—Mira este pinche loco —le dijo la joven muchacha al conductor de su auto—. Ahora hasta se hacen pasar por sacerdotes para robar —dijo mientras veía con el rabillo del ojo todos los ademanes que Moisés le hacía.

Moisés abrió la puerta para bajarse justo cuando los autos de adelante comenzaron a avanzar.

—Sagrado Corazón de Jesús, ayúdame, por favor —dijo, subiéndose de nuevo al vehículo.

El chofer del autobús se percató de que Moisés trató de bajarse de su auto con la sotana de sacerdote, y le comentó a sus ocupantes:

—Tenemos compañía, Volkswagen café justo atrás de nosotros —enseguida tomó su celular—. Tenemos un problema.

El seminarista tomó una pluma y anotó las placas en un papel, cuando alzó la vista se dio cuenta de que dos de los ladrones lo estaban viendo fijamente, por la ventana trasera del autobús.

Sin poder impedirlo, sus manos comenzaron a retemblar, sintió que ellos sabían lo nervioso que estaba y colocó las manos en la parte de abajo del volante. Trató de aparentar que conducía sin perseguir al autobús, por lo que desaceleró y dejó que varios autos se pusieran entre ambos vehículos. Los hombres dentro del autobús seguían como halcones, divisando, esperando a su presa en el pequeño Volkswagen.

«*Ora et labora*, sería mucho mejor estar haciendo esas labores tediosas y monótonas en el seminario en lugar de estar en esta situación» pensó, justo en el momento en el que el autobús se detenía en el carril adyacente a la autopista. «Tengo que continuar, imposible parar al lado de ellos».

El autobús dejó que el Volkswagen se pusiera enfrente para volver a retomar su curso en la autopista México-Puebla. Los papeles se habían alternado, ahora Moisés era el de adelante y siguiéndolo muy de cerca el pesado autobús escolar.

El volcán Iztaccíhuatl en su punto más alto está a 5230 metros sobre el nivel del mar, por eso es muy típico que la mayoría de las madrugadas la autopista esté cubierta de nubes que cubren el valle de México. Hoy la visibilidad también era un factor por el que la mayoría de los autos transitaban a una velocidad moderada. Con ciento cincuenta y seis curvas y un descenso promedio de 7 %, había que tener cuidado y mucha concentración, especialmente durante el descenso.

«¿Qué está haciendo este loco?» se preguntó Moisés, al ver que las quince toneladas del autobús se acercaban cada vez más y más cerca. De repente un pequeño golpe en la defensa trasera del pequeño auto hizo que este patinara un poco en la autopista.

Moisés bajó la ventanilla y le señaló al chofer que lo pasara. Pero este hizo caso omiso.

Otro latigazo cervical más hizo con la cabeza al golpear el respaldo del asiento, siendo embestido una vez más por el autobús. El sedán de tan solo 3045 kilogramos era solo un pequeño estorbo en la carrera del camión escolar.

Moisés miró en el retrovisor y vio a los cuatro ladrones riéndose e incitando al chofer para que lo sacara del camino.

El seminarista invirtió velocidades de cuarta a tercera para tratar de darle más potencia a su Volkswagen, pero el motor de cuatro cilindros no estaba acostumbrado a este tipo de trato y en lugar de acelerar frenó un poco la marcha.

¡Bam!, otro golpe.

El pequeño Volkswagen viró hacia la izquierda, luego hacia la derecha, rompió la baranda protectora y se precipitó al vacío.

Del otro lado de las montañas, en la Casa del Diablo en San Andrés Cholula, El Muñeco analizaba detenidamente un mapa de la república mexicana extendido por toda la mesa.

Por la ventana se podía ver a su terrateniente en el patio con una manguera, remojando la sangre que escurría de la piedra circular arriba del pozo.

«Ya es cuestión de horas, pronto tendremos la última pieza del rompecabezas para comenzar la búsqueda». El Muñeco volvió a fijar su vista en el mapa. «Pronto sabremos dónde está».

Si El Muñeco estaba en lo correcto, pronto tendría todos los elementos que lo convertirían en el hombre más poderoso del mundo.

CAPÍTULO 7

Elías estaba aturdido con todo lo que ocurría a su alrededor. El campanario del carillón terminó su melodía. Mientras tanto, él le daba vueltas en su cabeza a todos los números que encontraron, tratando de detectar un punto en común, una referencia, una ilación entre todos ellos.

Volteó hacia la cima del cerrito del Tepeyac, donde estaba la capilla del cerrito, iglesia que fue mandada a construir por el panadero Cristóbal de Aguirre y su esposa Teresa en 1666. Ellos fueron los que decidieron construir el templo en la cima del Tepeyac para honrar tributo a la Guadalupana. Después con el paso de los años en 1748 el sacerdote José María Montufar mandó a demoler la vieja capilla para construir una nueva, con mejores materiales y mucho más espaciosa. En 1950 se agregó la plazoleta en el atrio, donde el escultor Ernesto Tamariz hizo las cuatro esculturas de mármol de los arcángeles Miguel, Rafael, Uriel y el ahora decapitado Gabriel. «¿Por qué ir a ese extremo?». Elías no tenía respuesta.

—¿Cuál es la razón de robarse a la Virgen de Guadalupe? —les preguntó el general.

—Extorsión —respondió Paola.

—No, esto tiene otra razón, mucho más importante —comentó Elías mientras caminaban en la Plaza de Las Américas—. Tal vez tratar de desestabilizar a la Iglesia católica.

Paola lo vio con cierta confusión.

—¿Por qué desequilibrar a la Iglesia?

El general se mantuvo en silencio, escuchando y haciendo anotaciones.

—Este es el robo más grande a la Iglesia católica —acentuó Elías—. En 2011 alguien se robó un pedazo de la tela ensangrentada del papa Juan Pablo II. Esta provenía de la sotana que portaba el papa cuando recibió un disparo por parte de Mehmet Ali Ağca en la plaza de San Pedro en 1981. Este pedazo de tela había sido donado del Vaticano a la pequeña iglesia de San Pietro Della Ienca en la región de los Abruzos, al este de Roma. Al papa le gustaba mucho ir a rezar a esa iglesia durante su papado. El ladrón, o los ladrones, aprovecharon que la iglesia estaba vacía debido al mal tiempo en la zona y se llevaron esta reliquia.

—Y ¿los encontraron?

—No, nunca apareció. Nunca los encontraron —le expresó Elías al general—. Incluso la iglesia San Pietro Della Ienca sacó un comunicado perdonando a los ladrones si estos devolvían el pedazo de tela ensangrentado. Pero hasta la fecha no ha aparecido nada.

Elías suspiró haciendo una pausa en su razonamiento.

—Hubo otro robo a la Iglesia católica, más controversial que este.

Los tres se detuvieron al entrar en la basílica, justo al lado de la enorme cruz.

—En la Edad Media, el Vaticano emitió un decreto de que todas las iglesias en Italia debían tener por lo menos una reliquia sagrada dentro de su estructura. En la iglesia de Juan Bautista en Turín está el Sudario de Turín, manta que, supuestamente, utilizaron para envolver a Jesús al bajarlo de la cruz. En la catedral central en Roma está la mano momificada de San Francis Xavier; en la iglesia de María Magdalena en Roma está el corazón de San Camilo de Lelis, fundador de la orden de los Camilos y precursor de la Cruz Roja.

—Pero ninguno de esos se robaron —puntualizó el general, dirigiéndose directamente a él.

—No, lo que se robaron fue el prepucio de Jesucristo.

—¿EL QUÉ? —Paola y el general preguntaron al unísono.

—El prepucio de Jesús (*sanctum preaputium*, en latín) —asintió Elías, mientras volteaba a ver a Jesús en la cruz—. Supuestamente es la única parte de Cristo en el planeta, ese pedazo de piel estaba guardado en una caja de cristal. Durante muchos años se le han atribuido varios milagros. Siguiendo los rituales judíos, a los ocho días de nacido el niño Jesús había sido circuncidado. Según la Biblia, San Juan Bautista le dio el prepucio a María Magdalena cuando Jesús fue crucificado. Como el prepucio estaba separado del cuerpo en el momento de su ascensión al cielo, esto significa que el prepucio fue lo único que se quedó en la tierra.

El general y Paola estaban estupefactos atendiendo.

—La villa de Calcata, al norte de Roma, tenía una peregrinación anual que marcaba el día de la circuncisión. Supuestamente a todos los fieles que asistían a esta peregrinación se les perdonaban todos sus pecados por diez años.

—Pero ¿cómo se lo robaron?

—Voy para allá. No estudié tanto tiempo solo para dar el final de la historia —le manifestó Elías a Paola—. Realmente se sabe muy poco cómo pasó, pero en 1983, bajo circunstancias muy misteriosas, desapareció de la iglesia de Calcata. Algunos dicen que está en posesión de algún multimillonario que colecciona reliquias. Pero el rumor más fuerte era que el Vaticano se apoderó de él con la idea de dárselo a los científicos para que pudieran clonar a Cristo de ese pedazo de piel.

—¿El Vaticano? ¿Clonar a Cristo?

—Esto es solo un rumor, general. La verdad es que hasta el momento nadie sabe el paradero del prepucio. La mayoría de las reliquias religiosas son sumamente valiosas, no solo por su valor monetario, sino por su importancia para los millones de seguidores y los milagros que supuestamente estas puedan brindar.

—¿Supuestamente? —preguntó Paola, dudosamente.

—Lo estudio, pero de una manera científica. No soy muy creyente —asintió Elías.

—¿Alguna noticia del seminarista Cahuich? —le preguntó el general a su teniente.

—No, mi general, hasta el momento nada.

—General, voy al hospital para estar ahí cuando despierte el sacerdote Balda —le dijo la doctora, arreglando sus pertenencias antes de partir.

—Ok, ahí me mantienes al tanto de su estado de salud. Quisiera hablar con él en cuanto sea posible —le dijo el general a la doctora Zepeda.

—Doctora, si no es mucha molestia, me gustaría ir con usted. Y de ahí yo me voy a la UNAM. General, si pienso en algo que pueda contribuir en esto, con mucho gusto lo compartiré con usted.

—Sí, por favor, profesor, cualquier cosa me avisa.

CAPÍTULO 8

A pesar de estar metiendo el freno a fondo, el Volkswagen seguía descendiendo por la vertiente de la montaña.

En ese instante, el seminarista recordó sus mejores momentos cuando ayudaba en la Basílica de Guadalupe, cuando le tocaba encargarse de la sacristía, donde tenía que mantener el altar, los ornamentos, tener todos los materiales necesarios para la comunión, incluyendo los manteles y vasos sagrados para los sacerdotes. Pero sin lugar a duda, su mejor recuerdo fue cuando le permitieron tocar el órgano de la basílica.

Por varios años Moisés intentó ser el organista del santuario, pero nunca le daban la oportunidad porque solo había tres personas en México autorizadas para tocar este instrumento.

Fue precisamente cuando falleció su madre que el arzobispo de la basílica le dio la oportunidad de tocar el órgano en su honor.

El órgano monumental Wurlitzer construido por la casa Rudolph Wurlitzer e instalado en 1976, con cinco teclados y más de diez mil flautas, sonó de una manera espectacular cuando Moisés, con lágrimas rodando por sus mejillas, tocó el avemaría para su madre.

Zigzag, el seminarista había evitado chocar de frente con varios árboles, y en uno de ellos dejó el espejo lateral derecho, que explotó con un golpe sordo en la madera del pino.

Subió la palanca del freno de mano, que estaba entre los asientos delanteros, pero todo fue en vano, cada vez tomaba más y más velocidad en el declive.

«La compañía de seguros jamás me creerá esta historia» pensó Moisés, tras perder el guardafangos delantero en uno de los matorrales de la calzada.

¡*Clac!*, sonó la caja de velocidades, al momento que soltó el *clutch* para tratar de invertir velocidades. De seguro las crucetas del cardán del eje trasero del Volkswagen se habían averiado en la travesía.

Sin frenos, sin transmisión y sin freno de mano. Sabía que ya nada podía hacer para detener el descenso vertiginoso del vehículo. Solo restaba rezar y encomendar su alma a Dios.

Llegó a una pequeña rampa de tierra que lo lanzó varios metros hacia arriba. Moisés pensó que ese era su final. Se levantó de su asiento a pesar de traer colocado el cinturón de seguridad, sintiendo ingravidez completa. Acababa de lograr gravedad cero en su pequeño automóvil. Todos los libros, notas, ropa y herramientas que traía en el asiento trasero volaron por todas direcciones; lo que fue solo un par de segundos, Moisés lo sintió como una eternidad.

Cuando las llantas volvieron a tocar suelo, vio el panorama despejado, se dio cuenta de que había caído en una pista para motocicletas *cross country*. Ahora las maniobras en zigzag del volante eran para tratar de evitar atropellar a los motociclistas, que a la vez estaban sorprendidos de que hubiera un Volkswagen sedán en esta terracería. Moisés siguió conduciendo hasta el final de la pista, donde el auto se detuvo por sí solo en la explanada.

Al apagar el carro, se escuchó una detonación seguida por un golpeteo del motor, que había sido sometido a un viaje muy violento y lo manifestaba de esta manera.

El seminarista abrió de golpe la puerta de su auto, dando gracias a Dios, persignándose, cayendo al suelo de rodillas. Rápidamente se levantó, volteó hacia la autopista que se divisaba desde ahí, se sacudió el polvo de la sotana y se volvió a subir al auto. Su determinación era absoluta para seguir tras el autobús. Trató de prenderlo, pero le fue imposible. En algún momento, cn el brutal descenso por el bosque se perforó el tanque de gasolina y la aguja marcaba vacío.

Su pequeño Volkswagen había dado su último viaje.

A unos cincuenta metros donde se había detenido divisó un pequeño restaurante justo al final de la pista. Era el lugar de reunión de todos los motociclistas para comer y tomar algún refrigerio.

A lo lejos se podían percibir los autos transitando en la autopista México-Puebla.

Sin pensarlo dos veces, Moisés dejó sus llaves puestas en el auto y tomó una de las motocicletas que estaba estacionada en las afueras del restaurante. Se arremangó la sotana y le dio el pedalazo.

A pesar de que el séptimo mandamiento indica «No robarás», Moisés sabía que este pecado fácilmente se lo perdonaría Dios. Era vital que siguiera su curso. «Más vale pedir perdón que pedir permiso» se dijo a sí mismo. «Estoy seguro de que la basílica pagará por todo esto cuando consiga a la Virgencita».

CAPÍTULO 9

—Con permiso, con permiso —Elías le hablaba a la masa de gente que esperaba en las afueras de la Basílica de Guadalupe para abrirse paso junto con Paola.

—Es increíble el fervor y la devoción de los católicos a la Virgen María, con todos esas estatuas y banderolas —comentó Paola, mientras caminaban hacia su auto.

Ese comentario de Paola lo puso a pensar. «Estatuas, banderolas» algo no estaba bien.

La doctora sacó las llaves de su bolso y abrió las puertas de su Nissan X-Trail Híbrida color rojo escarlata. Tras encender el auto, metió los datos del hospital militar en el navegador.

«Así nos podemos evitar el tráfico más pesado». El navegador señalaba diecisiete kilómetros y les tomaría un poco más de media hora el recorrido.

Pasando por la glorieta del Ángel de la Independencia por Paseo de la Reforma al cruce con el Eje 2 Poniente Río Tiber y Florencia, Elías no pudo más que contemplar la bella estatua revestida por hojas de pan de oro. El automóvil constantemente cambiaba de flujo de energía al motor de combustible, dando más eficiencia en el consumo de gasolina.

La luz del mediodía entraba a raudales por la ventanilla del auto, lo que hizo que Elías cerrara un poco los ojos. Arriba del pedestal, la estatua de la victoria alada, el Ángel de la Independencia, que fue montada en 1910 por el entonces presidente Porfirio Díaz para conmemorar el centenario de la Independencia de México, con el brazo derecho extendido sosteniendo una corona de laurel para los héroes de la patria y en la mano izquierda sosteniendo una cadena rota con tres eslabones, símbolo de los tres siglos del virreinato y la dependencia política de España.

«Justo cuando México comienza a ser gobernado por masones anticatólicos» pensó el profesor, viendo detenidamente la bella estatua dorada. «Increíble que los dictadores militares al principio del siglo XIX mandaran a asesinar a decenas de sacerdotes por el simple hecho de intentar hacer los sacramentos religiosos. Las iglesias fueron saqueadas y la libertad de religión estrictamente prohibida por los generales».

De repente todo era más claro.

—¡La milicia cristera! —subrayó Elías, emocionado—. Una de las banderolas afuera de la basílica tenía el símbolo de la milicia cristera.

—¿Milicia cristera?

Hablando a mil por hora, trató de explicarle a Paola.

—Justo después de la Revolución Mexicana se formó la milicia cristera, un grupo de católicos provenientes de todo el país que peleó en contra del gobierno de Plutarco Elías Calles, el cual impedía el culto público fuera de los templos y le prohibía a la Iglesia tener bienes raíces.

—Pero ¿qué tiene que ver eso con el robo de la Virgen de Guadalupe?

—Lo que grabaron en el pecho del sacerdote. No es Con Chita. Es un nombre propio: Conchita.

Elías abrió los ojos, asombrado, acomodándose en su asiento.

—Más específicamente, la madre Conchita fue una monja católica de la orden de las capuchinas, que practicaba penitencias muy severas en su cuerpo para agradar a Dios. Se dice que dormía enlazada a una cruz y que tatuaba su cuerpo con clavos ardiendo.

Elías mantenía su atención en el caos generado por los autos en el Paseo de la Reforma.

¿Dormía amarrada a una cruz? —preguntó Paola, mientras se abría paso en la congestionada vía entre automóviles y camiones de carga.

—Sí, convenció a sus compañeras para que la ayudaran a

crucificarse, haciendo la costumbre de dormir amarrada a una cruz; y eso no es todo, pasaba noches enteras de rodillas rezando. Tenía un ritual de rezar todos los días en un ataúd cerrado, ella sola; se inventaba sus enmiendas para tratar de conseguir el camino que la guiara al cielo y así evitar el purgatorio.

Elías se talló las manos tratando de recordar más datos.

—Incluso un obispo de San Luis Potosí declaró durante el juicio que la madre Conchita no estaba en sus cabales, que en su familia había varios casos de demencia y desequilibrados mentales.

—Pero si era tan creyente, ¿por qué crees que tiene algo que ver con el robo?

—No, ella no. Ella murió hace más de treinta años. Después de servir muchos años de condena de prisión en las Islas Marías.

—¿Una monja en las Islas Marías?

—Dicen que fue la autora intelectual del asesinato del presidente electo Álvaro Obregón.

—¿Mandó a matar al que sería presidente? —preguntó Paola, cada vez más interesada.

—La madre Conchita se dijo inocente todo el tiempo, pero el Gobierno la encontró culpable por tener una relación de amistad con José de León Toral, con quien tuvo varias conversaciones, en una de las cuales sí llegó a comentar que para poder solucionar los problemas religiosos del país era necesario asesinar al presidente de México Plutarco Elías Calles, al presidente electo Álvaro Obregón y a otros políticos más. Por eso ella se sintió traicionada por la Iglesia cuando no la apoyaron en el juicio, lo que le costó terminar en la prisión de máxima seguridad en las Islas Marías.

—¿Y qué pasó con el asesino?

—José de León era un caricaturista de un periódico local. Aprovechando este talento, le ofreció al presidente hacerle un retrato en un restaurante en el barrio de San Ángel. Le hizo el boceto, y al mostrárselo le dio un tiro en el rostro y cuatro más en la espalda cuando estaba en el suelo. En el momento por poco lo linchan. La policía lo salvó y pasó varios meses tras las rejas donde fue torturado. Allí fue donde involucró a la madre Conchita. A él lo terminaron fusilando y ella terminó en las Islas Marías. En esa época fue la noticia que paralizó a todo México, en todos los periódicos la mayoría de sus páginas estaban dedicadas al juicio de la reverenda. Tenían columnas sobre la perspectiva de la mujer, análisis psicológicos, entrevistas con los testigos y los decretos de los abogados de cada día.

Paola no podía creer lo que estaba escuchando.

—Pero ¿qué tiene que ver algo que pasó hace un siglo con el robo de la Virgen?

El tránsito del mediodía en la capital mexicana seguía con lentitud. Parecería que los nueve millones de habitantes en la ciudad se pusieran de acuerdo para salir todos a la misma hora para ir a almorzar. Paola giró el retrovisor y se inclinó para checar el maquillaje. Aunque se ponía muy poco por estar en el ejército, la vanidad seguía estando ahí.

Elías volteó a verla. La notaba atractiva, con su pelo recogido, piernas largas y brazos bien torneados, se notaba que le encantaba hacer ejercicio. Y lo principal era que no portaba anillo de matrimonio.

—Ojos adelante —le dijo en son de broma.

—A este paso, me podría lavar los dientes, pintar los labios, peinarme y seguiríamos en este mismo sitio. Pero ¿qué tiene que ver la madre Conchita con todo esto? —volvió a interpelar.

—Cuando fue arrestada, la Iglesia le dio la espalda, no recibió nada de apoyo por parte del clero, incluso a las hermanas del convento les prohibieron que la fueran a visitar. Los abogados la hacían ver como si tuviera el demonio adentro, que era una hereje.

Volteó a ver hacia fuera en la ventanilla, buscando las palabras correctas.

—También fue torturada para que aceptara su culpa. Tras

varias semanas de tormentos, fue hallada culpable de ser la autora intelectual del asesinato del manco de Celaya.

—¿Del manco de Celaya? ¿Mandó a matar a otra persona aparte del presidente Obregón?

—No, no, no —sonrió Elías—. El manco de Celaya, así le decían al general Álvaro Obregón tras perder el brazo derecho en la batalla de Celaya. Realmente Obregón era catalogado como un héroe revolucionario, no solo había perdido un brazo en una batalla, sino también había traído la paz durante su primer mandato como presidente de 1920 a 1924.

Paola seguía haciendo preguntas, tratando de entender la conexión.

—¿Por qué había guerra entre la Iglesia y el Gobierno?

—Cuando la Iglesia católica comenzó a tener más relevancia en México en los años veinte, el gobierno del entonces presidente Plutarco Elías Calles emitió un decreto, llamado la Ley Calles, cuyo nombre real era la Ley de Tolerancia de Cultos, que controlaba y limitaba a todos los católicos en México. Mandó a cerrar las escuelas católicas, los conventos y desterró a una gran cantidad de sacerdotes extranjeros. La Ley Calles fue tan severa en México que la Iglesia católica suspendió la misa en todas las iglesias del país.

Al cambiar el semáforo de rojo a verde, enseguida el auto de atrás comenzó a sonar el claxon. Elías volteó para atrás, disgustado con el conductor.

—Qué desesperación, caray. ¿En qué estaba?

—La Ley Calles.

—Verdad, las cosas se pusieron sumamente tensas en esa época. El Gobierno comenzó a cobrarle a la Iglesia, limitaban el número de sacerdotes, incluso hicieron reformas al código penal para establecer condenas a todos los que incumplieran esta ley. Se ordenó la aprehensión de ciento ochenta sacerdotes por no pagar medio millón de pesos que el Gobierno le había impuesto como un arancel a la Iglesia. Ahí fue cuando el movimiento cristero se hizo más fuerte, culminando con el asesinato del presidente electo.

Elías suspiró y volteó a ver a Paola.

—Cuando fue sentenciada, la madre Conchita juró vengarse de la Iglesia.

—Y ¿qué pasó con la madre Conchita en las Islas Marías?

El tráfico se movía un poco más aligerado, entre el ruido de los autos, bocinas y sirenas. Tardarían unos diez minutos más en llegar al hospital militar.

—La Iglesia, para desligarse de toda responsabilidad, excomulgó a la monja al ser hallada culpable. En una ocasión un sacerdote la fue a visitar, quedando aturdido por la manera en que vivía. Tiempo después comentó que la madre estaba endemoniada por los rituales que hacía dentro de la correccional. Fue dejada en libertad por los años sesenta tras pagar su condena.

Elías alcanzó a divisar la torre del hospital militar que estaba a solo un par de cuadras.

—Al salir de prisión le fue muy difícil hacer una vida estable. Nadie le quería dar trabajo para evitar represalias del Gobierno.

—¡Guau, increíble! —exclamó Paola, mientras tragaba saliva—. ¿Crees que era culpable?

—Por todo lo que he leído, ella comentó que la Iglesia estaría mejor si asesinaran a esas personas, así que sí, yo creo que sí tuvo algo que ver, pero es algo que nunca sabremos con exactitud... ¿Tendremos tiempo para tomar un café? —preguntó Elías.

Paola negó con la cabeza, mientras apagaba el auto.

—¿De verdad está prohibido tomar café en el hospital militar? —gruñó Elías—. ¿Por qué no?

—¡Porque yo no tomo café! —exclamó Paola, sonriendo.

CAPÍTULO 10

La sotana de Moisés flameaba como capa de Superman en la motocicleta. Sentía cada plegadura del asfalto, cada curva. Su visión era de toda la carretera. Recordó su época de niño, con la motocicleta de su padre, que utilizaba como medio de transporte para ir a vender fayuca en el mercado de Tepito. Muchas veces se sentó en el asiento abrazando la espalda de su padre cuando lo llevaba a la escuela. Incluso cuando también se subía su madre, a él le tocaba ir delante de su papá, como si fuera manejando, viendo todos los instrumentos de la moto. Es por eso que Moisés no se sentía ajeno navegando en la KTM 300, una moto enduro, que tanto se puede utilizar *off-road* como usarla de diario en las calles de la ciudad.

Moisés conocía bastante bien las ciudades de Puebla y Cholula. Más de una vez le tocó asistir a una de las trescientos sesenta y cinco iglesias de la ciudad para ayudar a los sacerdotes de estas.

En su primer año en el seminario estuvo un par de semanas en la capilla real de Cholula, que da cabida al convento franciscano de San Gabriel Arcángel, que está catalogado como la iglesia más antigua de esta ciudad. También estuvo ayudando en el templo de Santo Domingo, pero salió de malas con el sacerdote de la parroquia, quien, aprovechándose de Moisés, lo mandaba a hacer todo tipo de mandados a pie, ir a recoger la ropa de la tintorería, traer incienso del mercado e incluso sacar a pasear a los perros del párroco.

El autobús escolar disminuyó su velocidad para tomar la salida del estadio Cuauhtémoc, justo por la calzada Ignacio Zaragoza. Moisés dejó una distancia pertinente para no ser descubierto, y abandonó la autopista en la misma salida. Estaba agotado, había requerido de todas sus fuerzas y concentración para mantener la estabilidad en la motocicleta. Cada bache, cada cuesta, cada vez que aceleraba o frenaba había requerido de sus cinco sentidos.

Era importante mantener una buena distancia para que los ladrones no sospecharan de sus intenciones y no lo vieran siguiendo el autobús.

Al pasar por el mirador La Mantarraya, el autobús se detuvo en el semáforo en rojo. Cuatro o cinco autos atrás estaba Moisés, que cabalga en la motocicleta.

Dos payasos, un hombre de ropa triste con los pantalones hechos trizas de caderas anchas y el niño con un leotardo amarillo y naranja, estaban enfrente de todos los autos. El menor, muy probablemente el hijo del mayor, se subía a sus hombros y comenzaba a malabarear tres pelotas de tenis, mientras el que estaba abajo se acercaba un palo con fuego a la boca para comenzar a lanzar llamas en cada fumarada.

En lo que disfrutaba de los artistas urbanos, vio su reflejo en el vidrio polarizado de una minivan. «¡Un sacerdote en moto! ¿Cómo no se van a dar cuenta?», pensó, al momento que se quitaba la sotana. Treinta y cinco segundos es el tiempo que tienen estos personajes para seducir y conquistar la atención del público con su acto. Los otros quince segundos son para correr entre los autos para encontrar a los conductores que aprecian este tipo de actuación con una moneda. Cuando el niño llegó a Moisés, este le regaló un par de monedas y le dio su sotana.

—Chale, chale —repeló el chiquillo—. ¿Para qué quiero esto?

—Así cuando se te ensucie el leotardo, te conviertas en el padrecito de la esquina, capaz que recolectas más dinero.

—No, ni madre, yo no quiero esto —regresándole la sotana.

Toma, toma, ten más dinero, regálasela a tu compañero o tírala a la basura, por favor.

Los autos de atrás comenzaron a pitar por la demora. A regañadientes el muchacho tomó la sotana y corrió hacia la banqueta.

El seminarista se sintió más tranquilo en camiseta negra y pantalones negros, se sintió como un James Bond de la basílica con esa sensación de libertad, completamente despeinado. Tal vez era el viaje en moto, tal vez era por todo lo que había pasado con su auto, y aunque sabía que se jugaba la vida, se sentía más vivo que nunca.

Al pasar por el centro histórico de la ciudad, el tráfico comenzó a hacerse más intenso. A la izquierda, en el carril contrario, Moisés divisó un convoy del ejército, compuesto por dos jeeps y un camión verde olivo con la parte trasera cubierta por una lona, y vio a unos diez o doce soldados en la parte trasera del camión. Una vez más, tuvo que hacer una decisión en milésimas de segundo: reportar el robo y decir dónde escondían la tilma de la Virgen de Guadalupe o seguir al autobús escolar para ver exactamente dónde se detendría.

CAPÍTULO 11

«Hospital Central Militar» indicaba el letrero en la parte superior del edificio achaparrado, con vidrios polarizados de siete plantas. Abajo del letrero, una enorme pared de ventanas reflejaba los intensos rayos escarlatas en el horizonte.

La sala de espera estaba orientada hacia el norte. A pesar de las múltiples ventanas por todo el hospital, la sala se sentía fría, y el polarizado de las ventanas permitía la entrada de los rayos solares, pero no del calor que los acompañaba, lo que hacía que la iluminación se sintiera helada, fantasmalmente muerta. La mayoría de las enfermeras y doctores del hospital llevaban sus batas blancas, todos estandarizados, en grupos uniformados, haciendo sus rondas mientras entraban y salían de las habitaciones.

Un chasquido, tras un zumbido, seguido de una campanita, y las puertas del ascensor se abrieron de golpe. Paola y Elías entraron junto a varias enfermeras de turno. El olor a éter y alcohol se mezclaba con el aroma de algún perfume barato. Las puertas comenzaron a cerrarse, pero milímetros antes de juntarse por completo, alguien metió la mano en medio de las puertas de metal, lo que activó la fotocélula que abría las puertas automáticamente. Los dos enfermeros que habían atendido al sacerdote en la basílica entraron al elevador y se pararon en la parte delantera.

—Tengo que hablarle al general y explicarle lo de la milicia cristera —comentó Elías, en voz baja, reclinándose en contra de una de las paredes del elevador—. Estos elevadores son enormes.

—Definitivamente, creo que es información muy importante —respondió Paola—. Estos elevadores son para transportar camas y camillas de un piso a otro, por eso son tan amplios.

Hizo una pequeña pausa, y le tocó el hombro a uno de los enfermeros que acababa de entrar.

—Tú fuiste uno de los que atendió al sacerdote John Balda esta mañana en la basílica, ¿verdad?

El enfermero, de espalda ancha, brazos macizos y pecho abombado, volteó sobre su hombro.

—Sí, nosotros lo trajimos aquí.

Su voz sonó ronca y muy clara por encima del zumbido eléctrico del elevador.

—¿Cómo sigue?

El otro enfermero, de pelo negro rizado y rasgos faciales muy marcados, mostró una postura un poco más agresiva y enfática.

—Doctora, esa información es clasificada. Se nos pidió un alto grado de confidencialidad —volteó a ver a las otras enfermeras—. Y este no es el lugar para dar más detalles.

Como si hubiera dicho una impertinencia, Paola respondió:

—Ok, entiendo.

Dio un paso lentamente hacia atrás, como una niña que acababa de ser reprimida por sus padres.

Elías ya tenía su celular en la mano, y esperaba que las puertas del elevador se abrieran. La acompañó un par de pasos, mientras veía constantemente su celular.

—Aquí es donde tengo mejor recepción —le comentó, mientras avanzaba viendo la pantalla de su celular—. Voy a llamar al general para darle la información que tenemos hasta ahorita.

—Me parece bien, te espero en la habitación del sacerdote Balda —respondió Paola, mientras salía del elevador y caminaba hacia la derecha por el largo corredor—. ¡Cuarto 435! —gritó Paola, antes de perderse entre los pasillos blancos del hospital.

Los dos enfermeros, que habían salido primero del elevador, caminaron hacia el mismo rumbo que se fue Paola. Elías se quedó atrás, mientras buscaba una mejor señal para su celular. La encontró en la esquina del corredizo, al lado de gran butacón forrado de cuero sintético café, justo enfrente de la ventana. Elías volteó afuera para disfrutar un poco los rayos de sol en su rostro. «Qué día más hermoso», ponderó.

CAPÍTULO 12

Después de ocho horas de estar ascendiendo, cuatro montañistas por fin llegaron a la cima del labio inferior del Popocatépetl, y ahí, a los 5452 metros sobre el nivel del mar, comenzaron a transmitir en vivo para todos sus seguidores en las redes sociales.

El magma rojo borboteaba en la boca del volcán. «Impacta verlo tan cerca» comentó el de chamarra roja, mientras otro con chamarra amarilla asentaba con la cabeza.

«Saludos a toda la raza que se está conectando. Amigos, ¡estamos en la boca del cráter! Estamos en vivo, desde las entrañas de Don Goyo, como comúnmente se le conoce al Popo, la segunda montaña más alta de México. Ajua, lo logramos. Como pueden ver, estamos en el borde del cráter, en la parte llamada el Espinazo del Diablo, que tiene una circunferencia de 612 metros».

El más chaparrito de los montañistas, con casco blanco y lentes oscuros, se colocó enfrente de la cámara. «Durante mucho tiempo, solo los mejores podían escalar el Popocatépetl. Para muchos su escalada era solo un mito. Pero desde los ochenta a la fecha, esta montaña ha dejado de ser una obsesión, ya que cualquiera con un poco de conocimiento sobre montañismo la puede escalar. ¡¡Mírenme a mí!! Jajaja… La distancia no es mucha, el verdadero problema es la nieve, a veces te puedes hundir hasta el pecho. Incluso hay varios sitios de internet que ofrecen escaladas al volcán durante todo el año por tan solo 200 dólares. Estipulando: *Suba tan alto como su nivel de habilidad lo permita*», lo dijo, mofándose en la transmisión. Se acercó más a la cámara y dijo susurrando: «Claro que nada de esto es aprobado por el Club Alpino Mexicano, que ha reprobado tajantemente que se aliente a subir a un volcán activo y pide no arriesgar la vida. Pero esto es súper seguro. Aquí no pasa nada».

El último en llegar a la cumbre, un montañista de chamarra amarilla y casco negro, se paró frente a la cámara. «Jajaja. En parte impacta, 15 grados bajo cero» dijo, jadeando, mientras revisaba su termómetro, jalando aire a sus pulmones. «Pero vale la pena, es una vista espectacular desde acá arriba. Aunque a veces tienes que gatear para poder avanzar en la nieve». Hizo una pausa para tomar más aire. «Me imagino que muchos saben, pero para los que no fueron a la escuela, Popocatépetl significa "montaña que humea". Viene del náhuatl *Popota*, que significa "humear", y *Tepetl*, que significa "montaña". Pero para la raza es Don Goyo».

«Se nota cuando aumenta la presión. Cómo el magma deja salir los gases en su interior, formando esas enormes burbujas. Eso se llama una erupción efusiva» comentó el de chamarra roja, haciendo un acercamiento con la cámara. «Pero si el magma no es liberado y aumenta más la presión de sus gases, entonces las burbujas crecen en su interior y el magma se fragmenta violentamente. Así es cuando se da una erupción explosiva». La cámara captó las burbujas de lava explotando en la boca del cráter. «Por eso es bueno que Don Goyo esté burbujeando de esta manera».

«Lo increíble es que, a pesar de que hay nieve, como pueden ver por todos lados, pero el suelo se siente caliente, además hay pequeños sismos cada cuatro o cinco minutos», dijo emocionado uno de los montañistas.

«Para toda la gente que tenga experiencia y que quiera escalar a Don Goyo, se van de México por la carretera hacia Puebla, salen en San Pedro Nexapa, de ahí son veintiocho kilómetros de carretera pavimentada hasta Tlamacas. Ahí pueden dejar el auto y tomar una de las vías para comenzar la escalada», aclaró el montañista de chamarra negra, con pantalones de cargo y lentes de montañista.

—Tony, ¿cuál es la ruta que tomamos? Para que le digas a toda la *people*.

—Se llama la circunvalación al cráter, definitivamente una de las rutas más bellas del volcán. No es fácil, especialmente en el área del abanico, donde hay un tramo de hielo blanco y duro. Hay que tener cuidado, porque en el último tramo la roca está podrida y muy floja, se desbarata con facilidad. Pero con algo de experiencia y cuidado la pueden lograr —dijo Tony, mientras señalaba con el brazo la ruta que tomaron—. Tlamacas está hacia el oriente. De ahí ascienden hacia la cañada de Nexpayantla, desde ahí en un día claro podrán ver hasta la Ciudad de México, no se les olvide la cámara, porque la vista es especta...

La cámara se comenzó a mover horizontalmente, de izquierda a derecha y viceversa, los microsismos se estaban tornando cada vez más fuertes. Tony dejó de hablar por unos segundos.

El montañista de casco blanco y lentes oscuros intervino en la explicación de Tony:

—Esa fue más grande que las otras sacudidas, creo que ya deberíamos de comenzar a bajar —se escuchó temor en sus palabras.

—¿Estás loco? Acabamos de llegar —le refutó el de chamarra roja.

La ley de protección civil no da ninguna sanción por llegar al cráter del volcán. Y eso lo sabían muy bien los montañistas, aunque conocían los riesgos, sabían que era una imprudencia escalar el Popocatépetl cuando estaba en fase activa.

El semáforo de alerta volcánica se encontraba en Fase 2, que implica actividad explosiva, emisión de gases y la posibilidad de flujo piroclástico. Por esa razón, las restricciones y retenes comienzan desde el kilómetro doce, donde se tiene marcado por parte de la Administración de Emergencias de la Dirección Nacional de Protección Civil. Estos retenes lo hacen de una forma conjunta los estados de Puebla, Morelos, Tlaxcala y el Estado de México, ya que podría resultar de alta peligrosidad para los montañistas que se arriesgan a subir hasta la cúspide. En cualquier tipo de erupción, del cráter pueden salir elementos balísticos que llegan a medir hasta un automóvil compacto, los cuales salen con gran velocidad del boquete del volcán.

«Así tiene más merito. Cuando el volcán está activo se siente más la adrenalina», ajustó la cámara en el tripie y se acomodó los lentes, mientras batallaba con el fuerte viento que congelaba hasta la respiración. «Queremos dejar muy en claro que no queremos faltar el respeto a las autoridades, esto es un reto que los cuatro nos habíamos hecho desde hace tiempo, y por eso estamos aquí», dijo el de chamarra amarilla. «Miren cómo el cráter se dilata», apuntó la cámara hacia la boca del volcán, parándose justo en el borde. «Ante el aumento de presión del gas, el olor del azufre es cada vez más fuerte».

Los movimientos telúricos eran cada vez más frecuentes y potentes, lo que hizo que la cámara cayera de su pedestal. Ahora filmaba de manera vertical.

El video comenzó a cambiar de color, de un azul pálido a un anaranjado rojizo. Cientos de piedras fueron despedidas como meteoros del cráter, algunas de ellas, las que estaban encendidas, explotaron al hacer contacto con cualquier superficie.

Los cuatro montañistas ahora corrían por sus vidas, y olvidaron por completo la cámara y el resto de su equipo para escalar. La fuerza de los vientos había creado remolinos de viento. Pequeños tornados que levantaban todo tipo de terracería, incluyendo piedras pequeñas. Uno de los torbellinos se cruzó en el camino del montañista de chamarra amarilla y lo lanzó hacia la boca del cráter. Tony alcanzó a ver a su compañero que volaba con la inercia hacia la boca de Don Goyo para ser envuelto en llamas antes de hundirse en el magma ardiendo. Al volver la vista al frente, una roca ardiendo le explotó en el rostro.

El video continuó por unos segundos más hasta que se cortó la transmisión.

Dentro de las oficinas del Centro Nacional de Prevención de Desastres, mejor conocido como la CENAPRED, departamento creado tras el sismo del 19 de septiembre de 1985, un pequeño grupo formado por varios técnicos de computadoras, dos supervisores y el director general monitoreaba un conjunto de pantallas. Una mostraba el mapa de México, otra mostraba el cambio climático de las diferentes regiones, otra mostraba los volcanes activos del país. En total eran diez monitores empotrados en la pared.

Diana Durán, una de las técnicas encargadas de monitorear el atlas estatal de riesgos, que permitía identificar los peligros de los fenómenos naturales para poder alertar a la comunidad en caso de cualquier desastre natural ya sea geológico, hidrometereológico o desastres antrópicos químicos, tecnológicos o sanitarios, acababa de comenzar su turno matutino.

Bip-bip, bip-bip. La alarma sonó de golpe en el monitor de Diana. Se levantó de un salto, dejó su café a un lado y se volvió a sentar con la misma rapidez. De inmediato empezó a escribir en su teclado, tomó el mouse de su computadora y comenzó a revisar las diferentes tomas en vivo de las cámaras de vigilancia que tenía a su disposición.

Las agujas de los sismógrafos colocados al fondo del cuarto comenzaron a garrapatear en el papel, marcando 6,5 en la escala de Richter.

—Es el Popocatépetl —anunció al grupo.

En la parte izquierda del monitor, el semáforo de alerta volcánica del volcán Popocatépetl pasó de amarillo a rojo, parpadeando intermitentemente.

—Lo voy a pasar al monitor principal.

Diana transfirió la imagen de su computadora a uno de los enormes monitores empotrados en la pared.

—Explosiones 2, exhalaciones 130 acompañadas de vapor de agua, cinco sismos vulcanotectónicos, el de mayor intensidad de 6,5 en la escala de Richter —dijo Diana, colocándose su auricular de diadema inalámbrica.

Alrededor de ella, viendo el monitor, llegaron los dos supervisores y el director general de la CENAPRED.

Todos estaban atentos al monitor y miraban la señal que emitía la cámara localizada en el flanco norte del volcán, en el cerro Altzomoni, que está a 4200 metros sobre el nivel del mar, cámara que fue instalada por CENAPRED y que mostraba al inmenso volcán Popocatépetl emitiendo una de las erupciones más violentas que había tenido en las últimas décadas, junto a pequeñas explosiones rítmicas, separadas por períodos de menos de un segundo.

Las entrañas de Don Goyo se habían abierto. Del centro del estratovolcán salía una enorme columna eruptiva de humo, ceniza negra, compuesta por bióxido de azufre, lapilli y material incandescente. El flujo piroclástico comenzaba a descender de la montaña. La fumarola era kilométrica y se dispersaba hacia el norte.

—¡Es una erupción vulcaniana! —enfatizó Pablo Orejón, director general de la CENAPRED.

Sus ojos achinados giraban sin cesar detrás de sus gafas; su nariz afilada, pero con la punta caída, era la típica nariz aguileña que tantas burlas le había costado en la primaria.

—Manda la alarma: Fase 2. Tenemos que evacuar a los veintitrés pueblos que habitan en sus faldas —con voz cortante y tajante, como si afilara el aire—. ¿Cómo es posible que esto no fue captado por los sensores sísmicos instalados en las laderas del volcán? —se preguntó.

El semáforo de alerta volcánica se tornó rojo. La Fase 2 es la máxima alerta de la CENAPRED, cuando se esperan graves daños a las zonas adyacentes al volcán, con una intensa caída de cenizas, arena y fragmentos volcánicos en poblaciones y ciudades lejanas. Su efecto puede ser devastador, especialmente por el flujo piroclástico que puede arrasar todo a su paso.

Bip-bip. Bip-bip, otra alarma sonó en el monitor de Diana.

—Es el volcán de Colima —la voz de Diana provocó un extraño escalofrío en todos los presentes.

—¡Ahora el de Colima! —repitió como un eco Pablo Orejón. Una expresión de incredulidad aparecía en su rostro—. Es el cinturón de fuego.

Una de las operadoras le refutó:

—Pero el cinturón de fuego, ¿que no está en el Pacífico?

—Rápido, manden una alerta nacional. Tenemos que avisar a la presidencia —dijo el supervisor, agitando la mano y señalando el teléfono. Con el mismo tono volteó a ver a la operadora—. El cinturón de fuego afecta a veinticuatro países, desde Chile hasta Nueva Zelanda, pasando por México. Son cuarenta mil kilómetros de largo, donde se concentra la mayor parte de la actividad volcánica del mundo. Al parecer el monstruo está a punto de despertar.

El monitor principal de la pared cambió a una toma satelital de la zona del Popocatépetl, donde se podían apreciar los ríos de lava que descendían por la montaña. La toma se iba ampliando hasta mostrar a la república mexicana. Dos grandes columnas de humo se divisaban desde el espacio: una en el centro del país, la que correspondía al Popocatépetl, y la otra del volcán de Colima.

Los teclados de las computadoras comenzaron a sonar con cada letra que los técnicos aplanaban para mandar los comunicados de alerta. Otros estaban avisando por medio de los teléfonos para dar más detalles de lo que acababa de ocurrir. El lugar parecía un caos bien organizado.

AVISO URGENTE – #POPOCATÉPETL #VOLCAN A las 13:00 h,
se registró una fuerte explosión, con gran contenido de cenizas
y fragmentos incandescentes. Alerta a las poblaciones.
Se exhorta no acercarse a la zona. #CENAPRED

Culminaba el aviso.

En la habitación 435 del Hospital Central Militar, el sacerdote John Balda leía la alarma que le había llegado automáticamente a su teléfono.

«Ha comenzado», pensó, justo en el momento en que Paola entraba a su habitación.

CAPÍTULO 13

La ceniza expulsada por el Popocatépetl alcanzó más de veinte kilómetros sobre el nivel del mar, formando una gran nube, bloqueando parte de la luz solar en todo el valle de México, Puebla, Tlaxcala, Cuernavaca, Toluca, Valle de Bravo, Izúcar de Matamoros hasta llegar a Morelos.

El sol palidecía por el color rojizo de la ceniza, más arriba se veía amarillo, con tonos de azul. En todos estos lados la visibilidad se había reducido en un setenta por ciento y en algunos lugares era oscuridad total.

En Puebla, por la proximidad al volcán, no solo era la oscuridad por el humo y las cenizas. Las densas nubes emitían relámpagos que viajaban de una nube a otra dando un aspecto fantasmagórico, fenómeno que sucede cuando las cenizas son expulsadas a altas temperaturas y se enfrían al dispersarse en la estratósfera.

Hay un enorme riesgo en vivir cerca de un volcán. La Ciudad de México está a menos de ochenta kilómetros del Popocatépetl, mientras que Puebla está a menos de sesenta kilómetros del cráter.

En el siglo XX, dos ciudades fueron devastadas por erupciones volcánicas: la de Saint-Pierre en Martinica que dejó 29 000 personas muertas y la más reciente, en 1985 en Armero en Colombia, que dejó 23 000 víctimas mortales.

Puebla comenzaba a sentir los efectos de la erupción con la caída de ceniza de una manera constante y la caída de piedra pómez. Moisés tuvo que parar momentáneamente para amarrarse el pañuelo en la cara, tal y como en el viejo oeste, como un bandolero, tapando nariz y boca. Al reanudar la persecución del autobús escolar logró ver que se metía en el garaje de una enorme casa en San Andrés Cholula. La casa tenía un aspecto diferente a las demás. Estaba construida con piedras de coral porosas, con unos marcos amarillos y blancos alrededor de la puerta y dos ventanas en cada lado. La casa de un solo piso parecía tener jeroglíficos pintados en la pared, algo que le pareció muy extraño a Moisés.

La caída de lluvia ácida hizo que Moisés se refugiara en una pequeña fonda a una cuadra de la casa, justo en frente de la plaza principal.

—La Virgen está enojada —le comentó la dueña del lugar, levantándose de su silla, una señora con el pelo blanco recogido, ojillos pequeños, pero muy vivos y muchas arrugas en el rostro.

—¿Cómo?

—La Virgen de Guadalupe; está enojada porque la sacaron de su santuario —respondió la anciana.

—Es muy probable —contestó Moisés, sin perder de vista la casa de la esquina—. Señora, ¿me permite usar su teléfono, por favor?

—Uy, que quisiera yo tener teléfono —replicó la anciana—. Mi hija siempre se lleva mi celular, lo que sí tengo es comida, ¿deseas algo? ¿Ya viste el menú?

—Señora, necesito un teléfono urgentemente. ¿Dónde puedo conseguir uno?

—Allá en la otra cuadra —extendió su brazo flaco y flácido, apuntando hacia el oeste—. Don Pancho sí tiene uno en su ferretería, capaz que te cobra por la llamada, pero de seguro él tiene. La vez pasada necesitaba hablarle a mi…

—Disculpe, señora, tengo que ir urgentemente.

Se acercó a él y le dijo:

—Yo que tú, ni saldría con esta lluvia maldita. Te digo, la Virgencita está enojada. Aquí te puedes quedar hasta que esto pase.

—Por eso mismo, tengo que ir hacer la llamada por teléfono.

—¿Qué tanto ves para allá? —le cuestionó la anciana.

—¿Vio allá?, esa casa en la esquina fue donde se metió un autobús escolar. Tengo que ver qué están haciendo, se robaron algo muy valioso de mi casa.

—Vamos, si quieres te acompaño, yo tengo aquí un paraguas, solo no podemos tardar mucho.

De su bolsa sacó un pequeño paraguas. Le aplanó el botón plateado y se abrió completamente.

—No se moleste, señora, yo voy solo —dijo el religioso, con acento hueco.

—A que la canción, vamos, te acompaño. Total, con esta lluvia y ceniza nadie saldrá de sus casas.

La señora se repegó a Moisés, y los dos salieron caminando hacia la calle. El paraguas apenas los cubría.

Al llegar enfrente de la fachada, Moisés se dio cuenta de que los dibujos de la pared estaban hechos con piedras rejoneadas, que es cuando se insertan pequeñas piedras volcánicas de diferentes colores haciendo figuras. Al lado de la ventana notó algunas imágenes alusivas a la pasión de Cristo, se notaba la corona de espinas, el paño de Verónica.

—Dicen que esta es la Casa del Diablo —susurró la anciana, que elevó los ojos, viéndolo fijamente—. Por eso nadie se acerca a este lugar.

Moisés se quedó mirándola, hubo un destello en sus ojos al escuchar esto. La tomó del hombro para que siguiera caminando y no se hiciera tan obvio.

Al pasar por la entrada principal logró identificar algunos dibujos prehispánicos como un águila, el sol y la luna. Pero lo que más le llamó la atención fueron los dos monos con gorros eclesiásticos, sonriendo de una manera burlona, uno a cada lado de la puerta.

—Se dice que hacían misas negras, donde sacrificaban a niños de la calle. Después los aventaban al pozo que tienen en el patio. Y como nadie los reclamaba, nunca se investigó nada —la voz de la anciana era tajante, tal y como si ella lo hubiera vivido.

—¿Y la policía? ¿Que nunca se reportó nada?

—Eso es lo que dice la leyenda de hace muuuucho tiempo —la anciana dudó antes de responder, haciendo gestos con las manos—. Yo tengo aquí diez años y jamás se ha reportado nada extraño. Te digo, esas fueron leyendas de gente chismosa.

Los dos avanzaron cruzando la calle para evitar más sospechas. Aún no terminaban de cruzar la vía cuando varias personas se subieron al autobús escolar, y bajaron algo muy pesado en forma de cuadro envuelto en una manta verde.

Sin decir palabra, Moisés le tomó el brazo a la ancianita y comenzó a caminar más rápido.

—Espérate, mijo, si no vamos a ir a las Olimpiadas.

La anciana seguía hablando a media voz.

Moisés trató de acercarse lo más que pudo sin despertar sospechas para ver qué era lo que habían bajado exactamente.

—Señora, ¿vio lo que bajaron? —preguntó el religioso.

—No, mijo, si muy a penas veo enfrente de mí. ¿Y tú quieres que tenga vista de águila?

En las afueras de la Basílica de Guadalupe, el general Baltazar terminaba de hablar con el Secretario de la Defensa Nacional, que a su vez respondía las órdenes del Presidente de la República. Abrió su cuaderno de notas y le dio una rápida ojeada.

—Sí, señor, estamos dividiendo a las tropas. Acabamos de mandar un batallón de mil hombres y mujeres para ayudar con la evacuación en el Popocatépetl —comentó el soldado mientras veía la humareda del volcán a la distancia—. Y tengo un pelotón tratando de localizar al camión de la milicia cristera. Podría haber una relación con el robo a la Virgen de Guadalupe.

Hizo una pausa para escuchar a su interlocutor.

—Sí, señor, estoy consciente de que no tenemos mucho tiempo. Lo mantendré al tanto —colgó y volteó a ver a los dos soldados que estaban a su lado haciendo guardia en la entrada de la iglesia.

Suspiró y se pasó una mano por la frente, diciendo con una voz quejumbrosa:

—¡El tiempo no está de nuestro lado!

Los dos soldados se miraron en silencio. Parecían actores de una obra de teatro muda, siguiendo con el rabillo del ojo al general que se alejaba de ese puesto.

CAPÍTULO 14

El arzobispo John Balda, de pelo canoso, rostro enjuto, pómulos prominentes, mirada viva y movimiento nervioso de las manos, muy común en las personas de la tercera edad con atrofia multisistémica. Parado junto a su cama, terminaba de vestirse, abrochándose la camisa blanca, justo cuando le dio la bienvenida a la doctora Paola Zepeda, que tras tocar la puerta ingresó a su habitación. Los dos enfermeros que venían en el ascensor ingresaron después de ella.

—Doctora Zepeda, ¿cómo está el día de hoy?

En ese instante, el arzobispo clavó su mirada en la joven doctora.

—Arzobispo Balda —respondió Paola, sorprendida—. Pensé que estaría dormido, por todo lo que ha pasado. ¿Cómo se siente?

—Muy bien… No, excelente, me siento excelente. Gracias, pero por favor siéntese. Vamos a esperar a que venga su compañero para no tener que repetir lo que les voy a decir.

Balda terminó de abotonarse la camisa y se comenzó a abrochar los zapatos.

Paola, silenciosamente, se sentó en la silla, viendo con cierta suspicacia al arzobispo, que obraba como si nada hubiera pasado. Guardó silencio un instante, y al fin comentó:

—Arzobispo, no debería de estar parado, sus heridas no han sanado. ¿Quién le dio de alta?

—No tardan en comenzar a llegar los heridos del Popo —habló mucho más rápido que de costumbre—, así que vamos a tener que hacer esto lo más breve posible.

Se trató de parar, pero uno de los enfermeros la volvió a sentar poniéndole la mano en el hombro.

Paola sintió un frío que le recorría por la columna vertebral.

—431... 433... 435 —enumeró Elías, abriendo la puerta que estaba a la derecha, casi al final del pasillo—. Hola, buenas tardes.

—Profesor Elías Ortega, bienvenido, siéntese, por favor —habló en perfecto español, con un acento entremezclado entre bostoniano y norteño.

El catedrático volteó a ver a Paola, su rostro tenía dos tonos más claros de blanco. Se sintió un poco desconectado con lo que estaba pasando en el cuarto 435. Completamente ajeno a lo que estaba aconteciendo, Elías tomó asiento junto a Paola. Uno de los enfermeros cerró la puerta y se colocó de espaldas de ella.

—Por fin —exclamó el arzobispo Balda, viendo al cielo—. Por fin estamos todos juntos.

Elías se rascó la cabeza pensando «¿Y este de qué está hablando?».

El arzobispo volteó a ver su reloj Movado de carátula negra, con las manecillas y el borde dorado.

—No tenemos mucho tiempo, así que seré breve y conciso —tomó el vaso de agua de la mesa de noche y le dio un trago.

Su tono de voz era un poco más bajo de lo normal, la ronquera y los moretones todavía estaban presentes por la soga que tuvo en el cuello durante toda la noche.

—Profesor, ¿conoce qué es el *Nicān Mopōhua*?

—¿El *Nicān Mopōhua*?

—Por favor, no repita lo que le estoy diciendo —sus ojos cafés reflejaban la luz de la habitación con algunas chispas de rojo que se filtraba de las ventanas polarizadas. Sus pupilas estaban centradas en Elías y Paola. Le dio otro trago al vaso de agua, tratando de aclarar la garganta.

Elías se encogió de hombros, diciendo:

—Nunca he visto el original, solo fotos del documento.

El arzobispo movió la cabeza en desagrado.

—Por favor, profesor. Pensé que usted sabía que esa es una copia del original, al cual le faltan algunas páginas.

—Sé que es una copia, pero es la única que existe del *Nicān Mopōhua*. De la original nunca se supo.

Paola se acomodó nerviosamente en la silla.

—Arzobispo, ¿qué tiene que ver ese documento con lo que le pasó en la basílica? ¿Qué tiene que ver con el robo de la tilma de Juan Diego? —dijo en un tono indiferente.

Se acercó a la silla de Paola, se apoyó en los descansabrazos y le dijo:

—No, doctora, no, no, no… No fue un robo, es un préstamo temporal.

La joven doctora se reclinó hacia atrás al sentir el aliento seco y pestilente del arzobispo, muy probablemente causado por la inflamación del tejido gingival por la falta del flujo de saliva mientras estuvo amarrado.

Elías y Paola no podían creer lo que estaban escuchando. Elías trató de sacar su celular del pantalón.

—Por favor, profesor, no cometa esa estupidez —con la cabeza apuntó a los dos enfermeros—. A Dimas y Gestas no les gustan los soplones y menos cuando ponen en riesgo la tilma de la Virgen.

El enfermero al que le decían Gestas sacó una Beretta PX45 Storm de la parte trasera de su pantalón y la colocó enfrente de él, del bolsillo sacó un silenciador y se lo enroscó al cañón. Instintivamente al ver esto, Paola le tomó la mano al profesor.

Hacía mucho que Elías no se sentía tan incómodo en una situación. La última vez que alguien le había apuntado con un arma de fuego fue precisamente en la jungla Parangaricutiro en Michoacán.

—Sigo sin entender. Exactamente qué es lo que quieres.

—Profesor, me está desilusionando cada vez que abre la boca —refutó el arzobispo, con cierta cólera—. Creo que lo sobreestimé. Varias veces lo vi en la basílica, trabajando en su tesis. Me he leído todos sus libros, aunque déjeme decirle que *El misterio de la Guadalupana* me dejó con ciertas dudas. ¿Cómo puede escribir un libro si le falta el documento principal? El *Nicān Mopōhua*.

—Porque NO existe. Solamente las dieciséis páginas que están escritas en náhuatl y que fueron compradas en una subasta por la Biblioteca Pública de Nueva York.

—Ya le dije que esa es una copia. El *Nicān Mopōhua*, el original, sí existe y está aquí en la Ciudad de México. Y necesito que ustedes lo encuentren.

Furioso consigo mismo, el profesor se levantó de la silla, a pesar de las amenazas del arzobispo y de que Gestas le apuntaba con la pistola. Estaba concentrado, tratando de pensar. «¿Sería posible que todavía exista el original del Nicān Mopōhua?».

Este documento fue escrito en 1556 por Antonio Valeriano, un indígena increíblemente culto, que manejaba a la perfección los idiomas náhuatl, español y latín. Era sobrino de Moctezuma, lo que le ayudó a ser gobernador de la parcialidad indígena México-Tenochtitlan, de lo que sería hoy en día Azcapotzalco. Valeriano escribió el *Nicān Mopōhua* veinticinco años después de la aparición de la Virgen de Guadalupe en el cerro del Tepeyac, tras tener varias pláticas con el mismo Cuauhtlatoatzin, que años antes había sido bautizado por los primeros misioneros franciscanos con el nombre de Juan Diego y con Juan Bernardino, el tío de Juan Diego.

Paola se sentó en el borde de la silla. Tenía tantas preguntas en su mente.

—¿Cómo puede ser más importante ese documento que la tilma donde está la Virgen de Guadalupe?

—Es algo personal, llevo diez años de mi vida buscándolo por todo el mundo. Desgraciadamente, el tiempo no está de nuestro lado. La ventana se está cerrando con cada minuto que pasa —volteó a ver su reloj, impaciente—. Le voy a contar una historia. Algo, que no les enseñan a los mexicanos en los libros de texto —comentó el arzobispo, con los labios resecos; tomó el vaso de agua y dio otro buche—. Por más de doscientos años el

Nicān Mopōhua estuvo en manos del gobierno mexicano, pasaba de un presidente a otro. Hasta que quedó en el olvido en la Biblioteca Nacional. Fue hasta la década de 1800 que un ministro llamado José Ramón Ramírez, Ministro de Asuntos Exteriores durante los mandatos de los presidentes José Joaquín de Herrera y Mariano Arista, se interesó realmente en leer todo el contenido de este texto, que jamás se había dado a conocer por parte de los misioneros españoles.

Elías estaba fascinado escuchando al arzobispo, ya que desconocía esta historia.

—José Ramón Ramírez, que hablaba perfecto náhuatl, también estaba a cargo de la Academia Imperial de Ciencias y Literatura, además era el director general del Museo Nacional y de la Biblioteca Nacional, por eso tenía acceso a todos los documentos secretos del gobierno mexicano.

—Pero ¿tengo entendido que fue exiliado por traición a la patria? —preguntó Elías, como si estuviera en una clase de historia.

—Muy bien, profesor, estoy comenzando a tener fe en usted una vez más —respondió el arzobispo, cínicamente—. Sí, así fue, durante la presidencia de Benito Juárez, José Fernando Ramírez fue desterrado de México, ya que no estaba de acuerdo con la ideología de Juárez de disminuir la influencia de la Iglesia, decretando que sus propiedades tenían que pasar a poder del Gobierno, además de pagar un tributo por el diezmo que recibía, y lo que más le molestó a Ramírez fue la confiscación de todo libro o manuscrito para ser destruido.

—Fue parecido a lo que me contaste en el auto, sobre la milicia cristera —le dijo Paola a Elías.

—Sí —respondió Elías.

Sus ojos verdes la miraban fijamente, pero se notaba que estaban en otro lugar, pensando todo lo que comentaba el arzobispo.

—Pero eso fue hace cien años. El Gobierno siempre estuvo celoso del poder tan grande que tenía la Iglesia.

—Muy cierto, profesor —el sacerdote volvió a ver su reloj—. Fue ahí, antes de ser desterrado, que José Fernando Ramírez compiló todos los documentos sobre la Virgen de Guadalupe, incluyendo por supuesto el *Nicān Mopōhua*. Entre él y unos colaboradores hicieron una copia exacta del documento, pero solo copiaron las primeras dieciséis páginas de la obra.

—Pero ¿por qué no copiarlo todo? El mundo tiene derecho a saber todo lo que dice el manuscrito.

—*Wrong, you are so wrong!* Ahí es donde se equivoca una vez más, profesor. Cuando se refiere al mundo, ¿se refiere al proletariado, a la clase trabajadora o a la élite, la clase rica, la clase que está en el poder?

—A toda la humanidad, esta información debería de ser para todo el mundo.

—Si usted está detrás de esto —interrumpió Paola—, ¿por qué se quemó el pecho? ¿Por qué se amarró a la cruz?

El arzobispo suspiró profundamente, tomó una jeringa de la mesa, le quitó el tapón a la aguja y de un solo golpe se la clavó en la pierna. La sacó y la volvió a clavar. Tenía su mirada clavada en el rostro de Paola. Sus facciones jamás cambiaron, nunca mostraron dolor alguno.

—¿Alguna vez ha escuchado de una enfermedad llamada neuropatía hereditaria sensitiva autonómica?

—Sé que es una enfermedad muy rara, que se caracteriza cuando el paciente no presenta ninguna sensación de dolor. Por lo general, es un gen heredado —respondió la doctora.

—Exactamente, doctora, muy bien. Es algo que tengo que agradecerle a mi madre —abrió su camisa, exhibiendo su monstruosa obra de arte, la cual todavía estaba ampollada y roja—. Este es el nombre de mi madre —exclamó con su acento bostoniano y norteño—. Hay de mandas, a mandas, algunos pagan sus mandas místicas caminando de rodillas hasta la basílica, mi manda era esta. Llevar el nombre de mi madre tatuado en mi pecho.

—Conchita… No puede ser —respondió Elías, con el rostro de sorpresa—. ¿Tiene algo que ver con la milicia cristera?

—¡Bingo, profesor! —dio un aplauso, certificando el comentario con un tono singularmente burlón.

Paola se notaba alterada con toda esta nueva información.

—Pero ¿Conchita no era una monja?

—Era hasta que la encerraron en la prisión de máxima seguridad por algo que no hizo. La Iglesia la excomulgó, le negaron toda ayuda, dejándola que se pudriera en las Islas Marías —con odio que le brillaba en los ojos, el sacerdote continuó con un gran resentimiento—: Yo nací ahí en la prisión. Pasé parte de mi infancia jugando descalzo, con las ropas desgarradas probablemente de algún preso que por ahí pasó, sufriendo de unas alergias terribles, con mocos en las narices. Todas las noches mi madre me amarraba a una cruz para que durmiera como ella. Me decía que era la única manera de librarnos del fuego del infierno. Todas las noches, por años y años. Nunca supe realmente quién fue mi padre. Cuando le preguntaba, su respuesta siempre fue la misma: «Tú padre es Jesús», me respondía —replicó el eclesiástico, apretando la quijada tras hacer una pausa—. Si tuviera unos seis meses más. Yo solo resolvería esto. Pero tiempo es lo que no tenemos.

«¿Tenemos?» pensó Elías, y un terrible escalofrío le recorrió todo el cuerpo.

—Y sí, se *están* preguntando por qué hablo en plural.

Elías se sorprendió, como si le estuviera leyendo la mente.

—Porque esto que está pasando, todo esto ya estaba escrito en las estrellas. El volcán, el terremoto. Todo está escrito en las estrellas. Me imagino que conoce bien el calendario azteca, profesor, me imagino que sabe el significado del quinto sol.

—Sí, conozco bastante bien la Piedra del Sol.

—El que ustedes estén aquí no es casualidad. Todo tiene una razón de ser.

Paola y Elías se voltearon a ver con cierta incredulidad. De seguro el sacerdote tenía intervalos de alzhéimer o demencia.

—Pero todo eso fueron profecías, una inspiración divina o sobrenatural de los sacerdotes aztecas —respondió Elías, justo en el momento en el que comenzó a sonar su celular—. Es el general.

John Balda le hizo un gesto con la cabeza a Dimas. El enfermero, sin decir palabra, le arrebató el celular de la mano y le pidió el suyo a Paola.

—De ahora en adelante, el único celular que responderán será este.

Sobre su cama había un maletín de cuero, sacó un celular y se lo entregó a Elías.

—Cuando llegue la hora, tiene que contestar —le ordenó el religioso.

—Sabe que cuando todo esto termine acabará en la prisión —le reclamó la doctora.

—Nací en una prisión… Tal vez es mi destino que muera en una también —le respondió el arzobispo de inmediato—. Pero, profesor, nunca terminó su explicación del quinto sol.

—Según el calendario azteca…

—Un momento, profesor, antes tengo que decirle que de esta respuesta depende el futuro de los dos. Realmente bastante me han decepcionado sus respuestas hasta el momento. Y estoy comenzando a dudar de usted.

Las facciones de Paola quedaron difuminadas en su rostro, tratando de contener las lágrimas.

—¿Qué pasó con los mandamientos de no robarás y no matarás?

—Ya te dije que no me la robé, solo la tomé prestada. Si ustedes me consiguen lo que necesito, la Virgen regresará a la basílica. Y dos, yo no voy a jalar del gatillo, Gestas es el encargado. Digo, en caso de que el profesor diga otra pendejada.

El arzobispo tomó una pausa y le preguntó a Paola:

—¿Crees que soy un maldito, un desalmado y perverso?

—Todo eso y más —respondió Paola, sin titubear.

—En Estados Unidos acaba de pasar uno de los tornados más destructivos en la historia. Considerado uno de los más grandes, un F5 que recorrió 352 kilómetros, arrasó todo a su paso en tres diferentes estados con más de 690 víctimas, 230 niños —apuntó con el dedo índice hacia arriba—. ¡Todo eso es obra de Dios! Las flores, los atardeceres, al igual que los terremotos y el coronavirus, todo es obra de Dios. Todo está escrito en el firmamento. Pero no podemos perder más tiempo con esta lectura, ¿qué decía, profesor, sobre el quinto sol?

Paola volteó a ver a Elías sin parpadear. Jamás se imaginó que su vida dependiera de una respuesta sobre el calendario azteca.

—Según las profecías…

No había terminado su oración cuando el sacerdote gritó:

—No, no, no, no, NO. Está comenzando muy mal, profesor.

Elías odiaba ese sentimiento de fracaso, de vacío en su interior, como si acabara de donar un litro de sangre. Se enfocó más y volvió a la carga.

—La Piedra del Sol representa la cosmogonía azteca. El primer sol es la época del jaguar, fue creado por Tezcatlipoca, dios de la tierra. La primera era acabó por la aparición de un monstruo que se comió a la mayoría de los habitantes de la tierra. El segundo sol fue creado por Quetzalcóatl, dios del viento, el cual llegó a su final por vientos huracanados.

El profesor hizo una breve pausa para ver la reacción del arzobispo.

—Continúe —el sacerdote asintió con la cabeza.

—Tonatiuh creó el tercer sol. Esta época culminó con la erupción de enormes volcanes, donde una lluvia de fuego acabó con casi todos los seres humanos. Y el cuarto sol fue la época de Chalchiuhtlicue, regida por la diosa del agua, donde todo terminó por una gran inundación, de la cual solo se salvó un hombre y una mujer en un ciprés.

—Como la historia del diluvio en la Biblia —intervino Paola.

—Exactamente, como hay similitudes del arca de Noé en el Génesis de la Biblia y el gran diluvio de los aztecas —contestó el arzobispo—. Pero esto no para ahí. Continúe, profesor.

—Estas cuatro épocas dan cabida a la quinta época que es la época del movimiento. Según la tradición azteca es la época actual, que terminará con grandes movimientos de tierra y con una hambruna que matará a la mayoría de la humanidad.

—¿Y cómo se llama el dios del quinto sol? —preguntó el arzobispo.

—Huitzilopochtli.

—¿Y de quién es hijo Huitzilopochtli? —el arzobispo y Elías se miraban interrogantes.

—De Coatlicue.

—Bien, profesor, muy bien. Por ahí deben de comenzar a buscar el *Nicān Mopōhua*. Hay una relación directa de Coatlicue con el libro que deberán buscar.

En realidad, ni el profesor ni la doctora comprendían por qué el mismo sacerdote no continuaba con la búsqueda de estos pergaminos.

—Si usted tiene la mayoría de las claves, ¿por qué no continúa buscando? apuntó Elías, sentado en su silla.

—Ya te dije. Porque está en las estrellas —le respondió el sacerdote, reclinando la silla de Elías hacia atrás. Volvió a ver su reloj—. Después de que fue exiliado y que se fue con todos los documentos guadalupanos a Europa, antes de fallecer José Fernando Ramírez volvió a México y trajo consigo el *Nicān Mopōhua*, el original, porque no quería que este cayera en manos extranjeras y lo escondió en algún lugar de la ciudad. Eso fue todo lo que me dijo mi madre antes de ser liberada de prisión.

Pegó con el puño en la mesa de noche, y dijo, levantando la voz:

—Cuando salió de prisión, en lugar de vivir una vida normal con su único hijo, mejor se deshizo de mí, me dio en adopción a una familia americana que vivía en Saltillo, que después se regresó a vivir a Boston. Y jamás la volví a ver o a saber de ella —una vez más volteó a ver su reloj—. Es tiempo, han pasado diez horas desde que la Virgen dejó su santuario. Les quedan treinta horas para encontrar el *Nicān Mopōhua*. Un minuto después, la tilma de la Virgen estará ardiendo. Si se comunican con la policía o con el ejército, la tilma arde; si alguien viene a buscarnos…

—La tilma arde —respondió Paola, con un gesto afirmativo.

—Qué bueno que lo entendió, doctora.

—Si usted no ha podido encontrar el pergamino en diez años, ¿cómo piensa que nosotros lo encontraremos en menos de treinta horas? —preguntó maliciosamente Elías.

El arzobispo ignoró la pregunta, abrió la puerta, volteó a ambos lados y al final del pasillo divisó a un médico saliendo de uno de los cuartos tras hacer su guardia. Se giró y dijo, en el tono más amable:

—Treinta horas.

Los enfermeros los vieron de manera fija y sin darles la espalda hasta que atravesaron la puerta abandonaron la habitación 435.

CAPÍTULO 15

T – Menos 30 horas

La cuenta regresiva había comenzado. Elías y la doctora se quedaron en el cuarto 435 del hospital militar. Afuera en el pasillo se veía el venir y correr de los doctores y enfermeros que comenzaban a recibir pacientes con quemaduras de diversos grados a causa de la erupción del Popocatépetl.

—Préstame el celular —le dijo Paola.

—No podemos llamar a nadie.

—No es para llamar a nadie. Es para utilizar el internet.

—Tampoco sería prudente mandar *emails* al respecto, de seguro tienen intervenido el celular.

—¡Tampoco voy a mandar *emails*! No seré la culpable de que destruyan la tilma de Juan Diego —exclamó Paola—. Necesitamos el internet para trabajar de manera más eficiente y rápida. Tenemos hasta mañana a las 9 de la noche, que es cuando se vence el plazo de las treinta horas.

—Lo que vayas a buscar, lo vas a buscar en el auto, no podemos perder mucho tiempo.

En todo el valle de México el firmamento tenía un color rojizo muy especial a causa del polvo y las cenizas del Popocatépetl suspendidas en la atmósfera. La energía liberada por la explosión durante la erupción del volcán fue el equivalente a cincuenta megatones de TNT, es decir, fue quinientas veces más fuerte que la bomba atómica lanzada sobre Hiroshima o Nagasaki en 1945.

La onda expansiva se escuchó a trescientos kilómetros de distancia. Hasta el momento en las zonas aledañas se reportaban casi quinientos muertos y más de un millar de heridos, la mayoría por quemaduras de tercer grado.

—¿Quieres que yo maneje para que tú vayas checando en el internet? —le preguntó el profesor a la doctora, al llegar al estacionamiento.

Elías se colocó tras el volante.

—¿Y por dónde vamos a comenzar?

Sabía, por lo que el arzobispo había comentado, que definitivamente no estaba en sus cabales. «Un arzobispo que le robe a la propia Iglesia». En alguna ocasión leyó sobre sacerdotes que se robaban el diezmo para su propio beneficio, pero esto llegaba al extremo.

—Debe de haber algo más, algo que no sabemos, sobre la tilma de la Virgen de Guadalupe y la relación con el *Nicān Mopōhua* —la voz de Elías sonaba emocionada, pero a la vez también cansada. Había sido un día muy largo y lo peor de todo era que apenas estaba comenzando.

—Lo más lógico sería comenzar por Cloati… Cloati, Cloati… ¿Cómo se llama lo que comentó el arzobispo?

—Coatlicue, la madre de Huitzilopochtli.

—Exactamente, Coatlicue. Creo que deberíamos de comenzar por el principio. ¿Por qué es tan importante esta Coatlicue? —sacando una libreta del asiento de atrás, Paola comenzó a tomar notas.

El profesor se reclinó en el asiento aún sin arrancar el auto.

—En pocas palabras, la Virgen de Guadalupe llegó para sustituir a Coatlicue. Ella era la madre de todos los dioses y precisamente los aztecas le rendían culto en el Tepeyac.

—¿Que no puedes manejar mientras platicas? —dijo Paola, sarcásticamente—. Vámonos a buscar a esta Coatlicue, mientras me platicas más sobre ella.

Por alguna razón, Elías Ortega no estaba molesto con que la doctora Paola Zepeda le diera órdenes de esa manera, hasta parecía deleitarse con la situación.

—Para dar con Coatlicue, lo primero es ir al Museo Nacional de Antropología.

—¿Qué es lo que sabes del *Nicān Mopōhua*? —preguntó Paola—. Quiero hacer una cronología de este documento, lo que sabemos hasta hoy en día —puso la libreta en sus muslos, mientras escribía en el celular *Nicān Mopōhua*.

—En 1531 fue la aparición de la Virgen de Guadalupe… Pasaron veinticinco años para que se escribiera sobre este suceso. Fue en 1556 cuando Antonio Valeriano escribió el *Nicān Mopōhua* tras tener varias pláticas con Juan Diego y con su tío —dijo Elías, sin quitar la vista de enfrente—. Solamente existía el original de este manuscrito. Cien años después, aparece en el convento de las hermanas franciscanas capuchinas, que se caracterizaban por su máxima pobreza, austeridad, estricta clausura e intensa vida de oración.

—Suenan a los mismos hábitos que adoptó la madre Conchita —afirmó Paola.

—Precisamente, la madre Conchita antes de ser parte de la milicia cristera era parte de la orden de las capuchinas —prosiguió Elías—. Por doscientos años, el documento fue guardado en el convento hasta mediados del siglo XIX, si mal no recuerdo en 1851, cuando el Ministro de Relaciones Exteriores José Fernando Ramírez fue al convento y se robó el escrito, justo antes de ser desterrado por Benito Juárez, que fue lo que nos contó el arzobispo. Lo que yo sabía es que el ministro había hecho una copia del *Nicān Mopōhua*, y cuando él falleció, su hijo lo subastó a la Biblioteca Pública de Nueva York en 1880.

Paola escribió los datos en su libreta, con una compostura aplicada, determinada por tantos años en la escuela de medicina.

NICĀN MOPŌHUA
1531 Aparición de la Virgen en el Tepeyac
1556 Antonio Valeriano escribe el Nicān Mopōhua

1851 Exministro José Fernando Ramírez es desterrado y se lo lleva
1880 Una copia se subasta a la Biblioteca Pública de Nueva York

—Hay una ventana de treinta y un años —la voz del profesor le sonó hueca y de un solo tono.

—Treinta y un años. ¿Quiere que resolvamos lo que pasó en treinta y un años en tan solo treinta horas? Esto es una locura.

—Yo sé que es una locura, pero tenemos que hacer todo lo que esté en nuestras posibilidades para tratar de localizar el *Nicān Mopōhua*. Tú no quieres que nuestros nombres sean ligados por todos los cristianos de aquí a la eternidad como…

—Lo sé, como las personas que perdieron la tilma de Juan Diego —lo trabó Paola.

El Museo Nacional de Antropología es uno de los museos más grandes de toda Latinoamérica. Cuenta con veintidós salas de exposiciones permanentes, dos salas para exhibiciones temporales y tres auditorios. Precisamente fue en una de las salas de exposiciones temporales internacionales que el profesor Ortega había presentado su ensayo *Enfoque gráfico comparativo de la cultura azteca y la cultura maya* donde hacía una comparación mediante una cuidadosa selección de documentos, esculturas, libros y jeroglíficos de ambas culturas, en el marco que conmemoraba los quinientos años del encuentro entre Moctezuma y Hernán Cortés.

Había poca gente en las calles, en todo el valle se podía respirar ese olor azufrado, proveniente de la actividad volcánica del Popo. Los valientes que se aventuraban a andar afuera de sus casas utilizaban un cubrebocas o bandanas muy al estilo de los bandidos del Viejo Oeste para protegerse. Ya lo decía el locutor de la radio: «Tenemos cifras importantes en la tasa de emisión de dióxido de azufre, en algunos lugares de la Ciudad de México se han reportado mayores concentraciones, lo cual es normal según nos explicó el director del observatorio vulcanológico. En otras noticias, a pesar del humo del volcán, se han decretado varias manifestaciones en la ciudad el día de hoy. Así que manténganse informados sobre las carreteras que serán afectadas». Paola apagó la radio.

—Cómo me recuerda toda esa gente con cubrebocas a la primavera y el verano de 2020 con la pandemia de la CO-VID-19 —expresó Paola con un suspiro—. No nos dábamos abasto en el hospital militar. Fue horrible tener que ver cómo la gente moría por la falta de respiradores y la pobre planeación por parte del Gobierno.

—Desgraciadamente el Gobierno tomó muy a la ligera la pandemia, y por eso falleció tanta gente —respondió Elías, justo cuando dobló a la derecha del Paseo de la Reforma a la calzada Mahatma Gandhi, la cual estaba bloqueada con una barricada de seguridad—. Hemos llegado.

—Estamos cerrados por la alerta volcánica —les dijo el guardia de seguridad al aproximarse a la ventanilla de Paola.

La doctora sacó su chapa de militar y se la mostró al guardia de seguridad.

—Buenas tardes, estamos checando unos datos que nos podrían ayudar a recuperar la tilma con la Virgen de Guadalupe.

El guardia se puso sus lentes para leer y observó la identificación de Paola.

—¿Y qué piensan encontrar aquí? —cuestionó el guardia.

—Alguna relación que pueda tener con una pieza muy en particular. La Cuatle... ¿Cómo se llama?

—La Coatlicue —respondió el profesor, reclinándose hacia el asiento de Paola para ver mejor al guardia de seguridad—. Está en el ala norte, en la sala 4, donde está lo referente a Teotihuacán.

—¿Me permite su identificación? —le pidió el guardia al profesor, extendiendo la mano—. Se ve que usted conoce bien el museo.

El guardia checó su identificación e ingresó sus datos en una computadora portátil.

—Profesor Elías Ortega... ¿Fue usted quien dio una plática aquí, hace ya buen tiempo?

—Sí, hace un par de años. Fue en la sala de exposiciones temporales internacionales, buscando un paralelo entre las culturas maya y azteca.

—Sí, es lo que indica aquí la base de datos. Permítanme un segundo —tomó su *walkie talkie* de la cintura y oprimió el botón para hablar—. Rodrigo, necesito que acompañes a unas personas a una exhibición en el ala norte.

—Enterado, voy para allá.

El Museo Nacional de Antropología es uno de los sitios más visitados en la Ciudad de México. Cada año atrae a más de tres millones de visitantes de todo el mundo. Pero el día de hoy solo recibiría a dos visitantes.

—Tenemos que darle las gracias a Francia y a Inglaterra por todas las piezas arqueológicas de los aztecas que están en el museo —comentó Elías al entrar por el vestíbulo del Museo de Antropología.

—¿A Francia e Inglaterra? ¡Si fue España quien conquistó a los aztecas! —respondió Paola.

El otro guardia que los acompañaba, de nombre Rodrigo, escuchaba de modo atento.

—En la época de la conquista, las otras potencias europeas como Inglaterra y Francia no le daban crédito a España por la conquista de Tenochtitlan. Decían que como era un pueblo indígena, la conquista no tenía mérito, por ser un pueblo ignorante y salvaje —dijo el catedrático, mientras avanzaban por el patio central al lado del Paraguas, la fuente de agua invertida que fue diseñada en 1964 por Pedro Ramírez Vázquez, la cual no estaba operando por la clausura del museo debido a la alerta volcánica.

«Qué lástima, la última vez que vine tampoco la pude ver funcionando» pensó el profesor. Cuando le tocó dar su conferencia sobre las diferencias aztecas y mayas, el Paraguas estaba sobrellevando una cirugía estética en pocas palabras. Cuatro meses les tomó el poder limpiar los cuatro mil quinientos metros cuadrados que conforman la columna principal, que sostiene veinte vigas radiales de acero y ochenta tensores. Pero lo más sorprendente fue la manera en que la limpiaron, utilizando unas esferitas de hielo seco aplicadas a presión que permitió eliminar la suciedad y las sales acumuladas por más de cincuenta años.

—¿Y qué pasó con el resto de las piezas arqueológicas? —interpuso Rodrigo.

—Tras la conquista de los españoles, llegaron los misioneros para tratar de inculcar el cristianismo a los pueblos subyugados. Y se dieron cuenta de que la única manera de lograr que adoraran a su dios era destruyendo todas las escrituras y monumentos de los aztecas, considerándolos un obstáculo invencible para abolir la idolatría que tenían los indios con los dioses aztecas.

Rodrigo se mostraba mucho más interesado que Paola en la explicación del profesor.

—Qué lástima, pinches españoles, no solo trajeron la sífilis y la gonorrea, sino también para destruir los dioses de los aztecas.

—Y la viruela y el sarampión —añadió Elías—. Pero hay que recordar que en la cultura azteca los sacrificios humanos eran cosa de todos los días. Fue la cultura que más sacrificios humanos realizó. La mayoría de las piedras labradas eran para sus dioses y en ellas sacrificaron a miles de personas, incluyendo a mujeres embarazadas. Los españoles veían en todo esto la obra del demonio. En cada uno de los templos había piedras donde tendían a los desaventurados, de espaldas, para los sacrificios.

—Esto me imagino que no caía muy bien con los misioneros españoles —interrumpió Paola.

—Exactamente, por eso destruyeron cientos, si no miles de documentos y monolitos aztecas, especialmente en la primera década de la conquista. Algunas de estas piedras fueron usadas para sus propios edificios, otros simplemente los enterraron para que nadie los volviera a adorar. Hay que recordar que los sacrificios aztecas eran brutales, echaban al hombre de espaldas, le doblaban el cuerpo hacia atrás exponiendo el tórax y así lo abrían y le sacaban el corazón. Cuando los españoles llegaron a Tenochtitlan, contaron 136 000 calaveras humanas. Se dice que cada año sacrificaban a más de cien mil víctimas —expuso Elías, entrando en el ala norte por la sala número uno, donde se explica y se muestra la introducción a la antropología—. Pasaron décadas para que los españoles se dieran cuenta de la pérdida irreparable que había sufrido la historia del Nuevo Mundo al destruir la mayoría de estas piezas arqueológicas. Pero principalmente lo hicieron para demostrarle a Francia y a Inglaterra que la civilización azteca era una gran civilización y un digno rival, que habían vencido meritoriamente en el campo de batalla. Incluso los españoles que sobrevivieron la conquista y regresaron a Europa con mucho orgullo y altanería decían que esa era la máxima victoria de España. Que ningún ejército había logrado hazaña tan grande. Y es porque le deban mucho crédito a la valentía de los guerreros mexicas, que dejaban todo en el campo de batalla.

CAPÍTULO 16

T – Menos 29 horas

—Esta es la famosa Coatlicue —dijo Rodrigo, señalando a la figura antropomórfica con distintivos humanos y de animales, en la entrada de la sala 4 del ala norte del Museo Nacional de Antropología—. Voy a tomar un café, regreso enseguida. ¿Gustan uno?

—Yo sí, por favor —respondió enseguida Elías—. Negro, como mi alma, con dos de azúcar. Por favor.

—Señorita, ¿gusta un café?

—Yo no, muchas gracias —dijo Paola, sin quitarle la vista a la enorme figura de piedra—. Es verdad que emana un sentimiento de terror, un sentimiento de muerte.

—Es precisamente lo que querían los aztecas. Coatlicue, la madre de todos los dioses. Incluso el gran escritor Octavio Paz dio la mejor descripción de la Coatlicue: «Pasó de ser una diosa a ser un demonio, de un demonio a un monstruo y de un monstruo a una obra de arte».

—Deja, tomo nota —comentó Paola, sacando la libreta de su bolso.

—Ese es el problema, podemos estar aquí las treinta horas tratando de descifrarla y nos faltarían muchas horas más para poder entender todo su significado.

Paola volteó a ver su reloj, suspiró y expresó:

—Pues más vale que comencemos por el principio —dijo, preparándose para comenzar a escribir.

—Coatlicue significa «falda de serpientes», era la diosa de la vida y la muerte. Fue la madre de Huitzilopochtli, por eso se le presenta como la madre de los dioses. Una abominación monstruosa, compuesta con partes humanas y partes de animales.

Elías comenzó a señalar cada parte del monolito de tres toneladas.

—El rostro de Coatlicue son dos víboras de frente cada una. El hecho de enfrentar dos perfiles de serpientes se repite en la Piedra del Sol en el anillo exterior, en la imagen llamada *xiuhcoatl*. Esta es una de las cosas que más sobresalta de este monolito, que la cabeza y las manos fueran sustituidas por culebras, que emergen del interior de su cuerpo.

Paola garabateaba tan rápido como podía en su libreta.

—Tiene cuatro miembros superiores, son cuatro culebras, con las palmas de las manos extendidas. ¿Eso es algo que tú, como doctora, debes de conocer bien?

—No sé a qué te refieres —le respondió Paola, levantando la vista.

—Cuando una persona muere, siempre muere con las manos abiertas. Como dejando ir el mundo. Todo lo contrario, cuando se nace, se nace con las manos cerradas. Como queriendo agarrarte de lo que puedas, de asir la vida con todas tus fuerzas.

Paola estaba embelesada con esa hipótesis de Elías.

—No me había fijado, pero sí es verdad. Tienes razón.

—En su abdomen tiene la calavera de un feto. Absolutamente diabólica. Mientras que para los otros dioses los aztecas sacrificaban en su mayoría a hombres, los sacrificios para adorar a Coatlicue eran horripilantes: los hacían con mujeres embarazadas de las tribus rivales, les sacaban los fetos muy al estilo de una cesárea para decapitarlos y colgarlos de la cintura de Coatlicue, sencillamente como meros adornos. Las mujeres embarazadas presenciaban todo esto con sus cinco sentidos y después las decapitaban a ellas.

Elías hizo una pausa para reubicar sus pensamientos.

—Sus pies eran dos garras de águila. Como te puedes dar cuenta, solo las manos y los pies apuntan hacia delante, indicando el avance de la cultura azteca.

—Disculpe que lo interrumpa, profesor, aquí está su café.

—Gracias, Rodrigo, ¿en dónde me quedé?

Paola, checando sus notas, dijo:

—Que solo las manos y los pies apuntan hacia delante.

—Si puedes ver las cuatro serpientes, las dos de la cabeza y las dos de los brazos, indican los cuatro rumbos del universo. La ruta de la luz y los astros, la vía terrenal, el camino hacia la muerte y el pasaje hacia el inframundo.

—Pero ¿qué tiene que ver esta estatua con la Virgen de Guadalupe? —preguntó Rodrigo, mientras sorbía su café.

Paola una vez más paró de escribir y le preguntó, sin tapujos:

—Y tú, ¿cómo sabes que buscamos una conexión con la Virgen de Guadalupe?

—Me lo mencionó por el radio Juan, cuando fui a traer el café.

—Existe un vínculo muy personal entre Coatlicue y la Virgen de Guadalupe —declaró Elías, mientras le daba un trago al café—. Uno, Coatlicue era la madre de todos los dioses de los aztecas. Dos, su nombre es la mujer con falda de serpientes. Tres, en esta representación de más de tres metros de altura la presentan como si estuviera embarazada. Y cuatro, su templo estaba justo en el cerro del Tepeyac.

—No puede ser que existan tantas semejanzas con la Virgen de Guadalupe —dijo la doctora.

—Sí, así es. Uno, la Virgen de Guadalupe es la madre de Dios. Dos, su verdadero nombre, según el *Nicān Mopōhua* que está escrito en náhuatl, cuando ella se le presenta a Juan Bernardino el tío de Juan Diego le dice que se llama Tequatlasupe, que significa la que aplasta o pisa a la serpiente.

—¿Tequatlasupe? ¿No se llama Guadalupe? —cuestionó Paola.

—No, no se llamaba Guadalupe. Según el *Nicān Mopōhua*, la Virgen y el indio Juan Diego platicaron en náhuatl en cada una de las apariciones, no hablaron en castellano. Y el nombre que ella le reveló al tío de Juan Diego, a Juan Bernandino, es Tequatlasupe, la que aplasta a la serpiente.

—Y entonces ¿por qué le pusieron otro nombre? —refutó Rodrigo, terminándose su café.

Acostumbrado a las preguntas de los universitarios, Elías respondió con mucha calma:

—Porque recuerda que en ese entonces los españoles trataban por todos los medios de imponer su idioma y su cultura. Esto hizo que el franciscano fray Juan de Zumárraga, quien fue el primero en conocer la noticia de la aparición de la Virgen de los labios de Juan Diego, la bautizara como la Virgen de Guadalupe. Después de esa explicación, ya perdí en cuál número voy.

—Número tres —dijo Paola, revisando sus notas.

—Sí, número tres. En la imagen de la tilma de Juan Diego la Virgen llevó un listón negro en la cintura, lo que representaba que estaba embarazada. Y cuatro, ¿dónde pide que le construyan su templo? En el cerro del Tepeyac.

El profesor mostraba una sonrisa, se sentía como si estuviera enfrente de una gran audiencia de alumnos en la universidad. Aunque ahora solo tuviera dos discípulos.

—Estoy hundido con todos esos datos. Aquí nadie había dado esa explicación —dijo el guardia de seguridad—. Pero ¿no sería mejor revisar en el cerro del Tepeyac o al Zócalo donde fue encontrada la estatua de Coatlicue?

Paola volteó a ver a Elías y los dos declararon al unísono:

—Zócalo.

CAPÍTULO 17

T – Menos 26 horas

—General, ni el profesor ni la doctora contestan —le reportó el teniente al general, que seguía dentro de la basílica.

—Qué raro —dijo el general, entre su aliento—. Manda a alguien a buscarlos en el hospital, capaz que no tienen servicio.

—Enseguida, general —afirmó el teniente.

Mientras tanto, Elías y Paola salían del Museo Nacional de Antropología por la avenida Chapultepec, rumbo al centro histórico de la ciudad. En un día normal les tomaría cerca de cuarenta minutos hacer este recorrido de siete kilómetros, sin embargo, hoy su trayecto les marcaba menos de veinte minutos.

—¿Crees que encontremos algo allá? —cuestionó Paola, mientras revisaba sus notas en el cuaderno.

—La verdad, no lo sé. Estoy comenzando a especular que el arzobispo nos lo dijo simplemente para tener más tiempo a escapar con sus secuaces.

Paola revisó su libreta, tratando de hallar un significado en todo esto.

CARRILLÓN EN LA BASÍLICA

Relojes – 12:47

Reloj Azteca – en el día 15 / Luna Menguante

Astrolabio – señala a Marte

Serpientes.

COATLICUE		GUADALUPE
Madre de todos los Dioses	1	Madre de todos los Dioses
Coatlicue – De la falda de serpientes	2	Tequatlasupe – Pisa serpientes
Cráneo de feto – Embarazada	3	Listón negro – Embarazada
Sitio de adoración: Tepeyac	4	Basílica de Guadalupe: Tepeyac

Por el momento nada tenía sentido.

—Lo que más me llama la atención —dijo Paola, sin quitarle la vista al cuaderno— es todo lo que muestra el carrillón.

—Sí, es muy raro que los ladrones tuvieran tiempo de hacer todas esas modificaciones. Capaz que tenían a más gente trabajando afuera mientras ellos sacaban a la Virgen del camarín. Muy poca gente tiene acceso al sistema retráctil donde está la tilma de Juan Diego. El cuarto que protege al retablo donde está la Guadalupana se asemeja a una caja fuerte de un banco —Elías volteó a ver a Paola, que le daba vuelta a la hoja y seguía escribiendo más datos—. Nadie, bajo ningún pretexto, puede tocar el ayate. Ni siquiera con guantes, como ocurrió con los científicos que examinaron la Sábana Santa de Turín en 1978 —dijo Elías, mientras daba vuelta a la izquierda del eje 1A sur a la Calzada San Antonio Abad—. Lo mínimo que un observador o científico se puede acercar a la manta sagrada son ocho centímetros. Y estos desgraciados la tienen en su poder —el descontento se podía apreciar en el rostro del profesor.

—¿Por qué el arzobispo puso de límite treinta horas?

—Creo que tiene que ver con el día 15 que muestra el carrillón, esa misma noche la fase lunar debería de estar en cuarto menguante. O podría ser del número 40, porque indicó que ya habían pasado diez horas de la tilma afuera de su casa. ¿Y algo comentaste de Marte?

—Sí, el astrolabio lo colocaron apuntando a Marte.

—Marte, el planeta rojo. En la mitología romana es el dios de la guerra —comentó el profesor, mientras estacionaba el automóvil frente al Zócalo, justo al lado de la Catedral Metropolitana de la Ciudad de México.

—¿Y aquí dónde vamos a ir?

—Tu idea es tan buena como la mía —respondió Elías, mientras se bajaba del carro—. Tras la conquista de Tenochtitlan, los españoles arrasaron con la mayoría de los edificios y esculturas, especialmente aquellas en las que se realizaban sacrificios humanos, pues en ellas veían la obra de Satanás. Otros monolitos corrieron con mejor suerte.

—¿Cómo que corrieron con mejor suerte?

—Bueno, porque no fueron destruidos —respondió Elías, mientras caminaban hacia la Catedral de México—. En lugar de destruirlos, algunos fueron utilizados para construir esta catedral, otros los usaron como cimientos del Palacio de Gobierno, otros simplemente fueron enterrados para que los aztecas no los idolatraran más.

—¿Y funcionó?

—Claro que funcionó, por más de doscientos años jamás nadie volvió a hablar de la diosa Coatlicue, de la piedra de Tizoc o incluso de la Piedra del Sol o calendario azteca, que por mucho tiempo estuvo empotrada en la pared de la iglesia —declaró Elías, en la puerta central de la catedral—. Todavía el día de hoy hay una gran cantidad de vestigios prehispánicos en el subsuelo de la catedral. Algunos fueron encontrados en las excavaciones de reconstrucción en 1940, durante la Segunda Guerra Mundial.

Elías se sorprendió al jalar la puerta y que esta estuviera abierta al público. Varios feligreses en diferentes bancos de madera rezaban en silencio.

—Me sorprende que no haya más parroquianos en la iglesia, especialmente tras la erupción del Popo —comentó Paola.

—Sí, tienes razón.

Una mujer de unos ochenta años, con el pelo completamente blanco, con camisa azul y chaleco azul oscuro, se acercaba a la pareja.

—Buenas tardes, ¿quieren conocer un poco más de la catedral?

Y sin darles tiempo a responder comenzó a dar su plática. Un monólogo que tenía bien memorizado.

—Buenas tardes, mi nombre es María Teresa Romero, soy la guía oficial de la catedral metropolitana.

Elías levantó la mano para indicarle que parara, pero ella ni se inmutó y continuó.

—Más de doscientos años se llevaron para construir esta belleza. La primera piedra fue colocada en 1571 y la última etapa de construcción se terminó en 1813. Pocos saben que el peso de la Catedral de México es de 125 mil toneladas, razón por la cual se está hundiendo poco a poco, porque fue construida en un terreno acuoso. Afortunadamente, gran parte del material de construcción que usaron aquí adentro del santuario fue de piedra volcánica llamada tezontle, y por su ligereza disminuyó considerablemente el peso de la iglesia. Afuera sí es de piedra de chiluca, como se ve en la fachada y en sus torres —hizo una pausa, respiró profundamente y continuó—. Allá en el retablo de los reyes, o altar de los reyes, descansan los restos del padre de la patria, don Miguel Hidalgo y Costilla. Cuando fue fusilado en 1811, lo decapitaron para exponer su cabeza en una jaula en la Alhóndiga de Granaditas en Guanajuato, y su cuerpo fue enterrado en Chihuahua. Diez años más tarde sus restos fueron exhumados, al igual que su cabeza, y se le enterró en el altar de los reyes, allá en el fondo de la catedral.

—Disculpa, María, no tenemos mucho tiempo —interrumpió Paola.

—No importa, les puedo dar la versión corta del tour —expresó la guía, hablando más rápido—. Bajo la catedral se guardan los restos de los cuarenta y uno arzobispos primados de México, incluso las criptas fueron construidas arriba de la pirámide del dios del viento Ehécatl, precisamente el altar de este mausoleo correspondía a una piedra de sacrificios. Está incompleta porque parte de ella fue destruida por los españoles.

—¿Hay acceso para ver las criptas? —intercedió Elías, mostrando un poco más de interés.

—No. No está abierta al público. Solo de vez en cuando se permite la entrada a los familiares de algún arzobispo —María apretó las manos; las articulaciones en sus dedos, forrados por un pellejo casi translúcido, tronaban debido a la avanzada artritis reumatoide.

—Solo queremos echar un vistazo rapidito —dijo Paola—. Vamos, le doy una buena propina.

—No se puede, señorita, está cerrada con llave. Y solo el arzobispo tiene acceso a esta.

—¿Dónde fue que encontraron la estatua de la Coatlicue? —preguntó Elías, sin rodeos.

—Oh no, eso no fue aquí adentro de la catedral. Fue afuerita en el Zócalo, incluso hay una placa, pero muy poca gente pone atención a este tipo de cosas.

—¿Nos la podría enseñar, por favor?

—Con mucho gusto, señorita, total, hoy casi nadie ha venido a la catedral, con esto que está pasando con el volcán. Qué tragedia, ¿verdad?

—Sí, una verdadera tragedia —respondió Paola, mientras caminaban hacia la parte exterior de la catedral, pasando por las catorce capillas laterales cada una dedicada a un santo en particular.

—Fíjese que mi hermana Facunda vive por allá en el pueblo de Tlamacas, en las faldas del volcán, pero afortunadamente vino a ver al dentista al seguro social para que le taparan unas muelas y pos que se salvó de milagro.

Elías volteó a ver a Paola, que le siguió la corriente a la señora.

—Sí, se salvó de milagro, y ¿qué vivía sola?

—Pos sí, vivía sola; el cuñado desde hace mucho se fue a trabajar al norte. Y pos de repente ya dejó de escribir y de mandar dinero. Quién sabe qué le habrá pasado.

La guía se ajustó su chaleco y volvió a vocalizar su tono profesional.

—Pero bueno, hablemos de Coatlicue. Se dice que estaba en lo más alto del Templo Mayor. Los aztecas la habían revestido de oro. Las serpientes en su falda y de los brazos estaban recubiertas de oro. Las dos serpientes que tiene en la cabeza tenían oro y jade. Incluso se dice que tenía un collar con doce corazones hechos de oro.

Paola le tomó del brazo a Elías.

—Tú nunca comentaste sobre el oro de Coatlicue.

—Todo se lo robaron los españoles —intercedió rápido Elías.

—No, señor, no todo. Fue una mínima parte lo que se llevaron a España. Moctezuma era un rey muy inteligente y antes de que los españoles tomaran Tenochtitlan sacó todo y lo escondió en algún lugar.

—Eso es lo que dicen las leyendas. Nada es cierto.

—Esa fue la razón principal por la cual los españoles se aliaron con los tlaxcaltecas y olmecas para conquistar Tenochtitlan. Porque Moctezuma había mandado a miles de hombres para que cargaran el tesoro y se lo llevaran lejos de la ciudad y del alcance de los conquistadores. Solo por eso los españoles lograron derrotar a los aztecas, porque miles de sus guerreros salieron de la ciudad con el tesoro de Moctezuma. Les tomó dos meses en sacar todos los tesoros, sin que los españoles se dieran cuenta —comentó la guía, mientras le daban la vuelta a la catedral por la fachada sur.

—Por curiosidad, ¿de dónde sacó usted todos estos datos? —preguntó sarcásticamente el profesor—. Porque de las decenas de libros que he leído al respecto, en ninguno menciona eso.

—Uy, si viera la cantidad de libros que datan del siglo XVI que hay en las oficinas del arzobispo de la catedral. En mis ratos de ocio me gusta ponerme a leer.

—¿Ha encontrado algo sobre Coatlicue? —le preguntó Paola.

—Específicamente de Coatlicue, no que yo recuerde —dijo la guía, tratando de recordar—. El libro que estaba leyendo esta mañana era sobre la muerte del último emperador azteca.

—¿Cuauhtémoc? —respondió Paola inmediatamente, mostrando que sí puso atención a las clases de historia en la primaria. Elías volvió a levantar la mano para tratar de callar el monólogo, pero María, haciendo caso omiso, continuó caminando y hablando.

—Sí, exactamente. Después de la muerte de Moctezuma en 1520, que fue degollado por el propio Hernán Cortés al enterarse que había sacado todo el tesoro de la ciudadela. El hermano de Moctezuma, Cuitláhuac, fue designado de inmediato por los sacerdotes de Tenochtitlan como su nuevo emperador, pero solo pudo gobernar un par de meses antes de morir de viruela hemorrágica, enfermedad que causaba asquerosas pústulas y verrugas gigantes, que lo llevó a la ceguera y lo desfiguró con tantas ampollas.

A pesar de la erupción del volcán y de las finas partículas de cenizas que caían por toda la ciudad, se sentía una tarde lúcida en el centro histórico de México. La guía se detuvo enfrente de una de las paredes de la iglesia.

—Aquí en la pared occidental de la catedral estuvo empotrado por muchos años el calendario azteca, tras ser redescubierto en 1790 cuando estaban haciendo obras de reconstrucción del empedrado de la plaza mayor.

—Señora, continúe con la historia de Moctezuma y de Cuauhtémoc —exhortó Elías.

—¡Pero esto no tiene nada que ver con Coatlicue! Recuerda: treinta horas —interrumpió Paola. Lo volteó a ver, después volteó a ver a María e inmediatamente otra vez al profesor, como diciéndole ya basta.

—Estoy fascinado con esta historia. No la vamos a dejar a medias. Por favor, señora, continúe.

—Tras la muerte de Cuitláhuac, se vino un caos en el Imperio Azteca. Las epidemias de viruela y sarampión habían acabado con un gran porcentaje de la población. Varios de los sacerdotes fueron sacrificados al declarar que se tenían que rendir ante los españoles. Fue ahí donde los sacerdotes que quedaban en el Templo Mayor eligieron a Cuauhtémoc como el último emperador azteca.

El rostro de Elías estaba embelesado con la historia de la guía María.

—Cuauhtémoc era sobrino e hijo político de Moctezuma, tenía tan solo 27 años de edad cuando fue nombrado el nuevo emperador. Desgraciadamente le tocó el peor momento, ya que la ciudad estaba devastada por las epidemias, el hambre y la falta de agua potable. Les tomó un año a los españoles el poder reclutar a más de cien mil aliados de otras tribus, aunque la mayoría de ellos eran tlaxcaltecas, que con gusto se unieron a la causa de los españoles por la manera en que los aztecas los habían tratado por varias décadas. Cuauhtémoc y sus guerreros mantuvieron en vilo a los invasores por noventa días, hasta que por fin los sometieron en agosto de 1521. El mismo Cortés lo menciona en su relato: de los enemigos murieron cien mil, sin contar los que mató el hambre y la pestilencia. Comían poco, dormían entre los muertos, por estas cosas les vino la pestilencia y murieron en una gran cantidad. Llegaron al extremo de comer ramas y corteza de los árboles y a beber agua salobre, jamás se rindieron, jamás quisieron la paz.

—Sí, pero ¿qué dice el libro que le pasó a Cuauhtémoc? Sabemos que fue torturado y lo terminan ahorcando —comentó el profesor, mientras se recargaba en la pared gris porosa de chiluca de la catedral.

—Lo que no se dice es que fue torturado durante cuatro años. Le embarraban aceite en los pies y manos y se las quemaban a fuego lento.

—¿Cuatro años? ¿Cómo es posible? —comentó Paola, con ojos muy abiertos y llenos de asombro.

—Y dicen que nosotros éramos los salvajes, que éramos los que teníamos el demonio adentro. Los españoles eran mucho peores. Lo que realmente les interesaba era el oro y los tesoros de los aztecas. Por eso Hernán Cortés mandó a torturar a todos los guerreros que quedaron con vida para que alguno dijera dónde estaba el tesoro de Moctezuma. En el libro *Historia verdadera de la conquista de la Nueva España*, escrito por Bernal Díaz del Castillo, menciona: «Y allí hicieron hacer el fierro con que se habían de herrar los que tomaban por esclavos, que era una G que quiere decir Guerra».

La guía se detuvo cerca del altar principal, al lado de las columnas estípites con un toque barroco recubiertas con chapa de oro.

—En el mismo libro, Díaz del Castillo menciona la mano dura de Hernán Cortés: «Que se despidan de su pueblo los mexicanos, sino que iremos contra ellos como rebeldes, y matadores, y salteadores de caminos, y les castigará a fuego y sangre, y los daría como esclavos».

—Pero también recuerda que los aztecas eran caníbales, capaces de sacrificar a mujeres embarazadas y niños —expresó Elías, para mostrar las dos caras de la historia—. Hace unos años en las ruinas de Zultépec-Tecoaque, investigadores determinaron que más de trescientos cincuenta aliados de Hernán Cortés fueron apresados cerca de Tenochtitlan. Les tomó varios meses para sacrificar a los trescientos cincuenta en honor a los dioses, incluyendo mujeres embarazadas, varias de ellas al parecer eran españolas. Les aserraban el pecho para sacarles el corazón bullendo, después les cortaban las extremidades para comérselas. Los restos localizados en este lugar mostraban cómo los prisioneros eran clasificados para ser sacrificados en diferentes rituales. Se encontraron los restos de un hombre que fue quemado y desmembrado. Otros fueron devorados, una mujer fue partida en dos y sacrificada junto a un niño. Cabe destacar que el nombre Tecoaque significa «donde se los comieron».

María lo miró intensamente sin decir palabra. Por unos segundos hubo un silencio raro.

—María, después voy a venir a leer esos libros aquí contigo —le dijo Elías, haciéndole una sonrisa de complicidad.

—Pero ¿qué pasó al final con Cuauhtémoc? —preguntó Paola.

—Cuando quiera, señor, los puede leer cuando yo esté aquí, porque no los prestan a nadie —respondió María—. Pasó, señorita. Que al final de cuatro años de torturas, uno de los caciques de Cuauhtémoc, ya sin poder caminar, ni utilizar las manos por las torturas, dijo que el oro y todos los artefactos de valor se los habían llevado al sur de Tenochtitlan. Por eso en 1524, Cortés arma una gran expedición hacia el sur, encabezada por Cuauhtémoc y el Cacique que había confesado el paradero del tesoro. Tras un año de viaje, llegaron hasta lo que hoy en día sería el norte de Guatemala; supuestamente ya estaban muy cerca de dar con el tesoro, pero antes de conocer el sitio exacto, Cuauhtémoc mató a su cacique para que no revelara más información. Hernán Cortés, furioso con el último emperador azteca, lo volvió a torturar y al no tener ninguna confesión del guerrero mexica decidió colgarlo de un árbol. Y ese, señorita, fue el final de Cuauhtémoc.

—Y ¿qué fue del tesoro? —preguntó la doctora.

—Nunca lo encontraron.

—Lo del tesoro son puras leyendas, nadie sabe si esto existió realmente o qué tan grande era y mucho menos si alguien ya lo encontró y se quedó con él —expuso Elías.

María, con la mirada, le examinó el rostro.

—Sí existe. Y sigue escondido en algún lugar. Algunos dicen que está en el fondo del lago de Texcoco, otros dicen que está en el sur, cerca de Guatemala, precisamente por donde ahorcaron a Cuauhtémoc.

María dejó salir un gran suspiro, viendo el campanario de la catedral.

—Ojalá y la persona que lo encuentre lo utilice para ayudar a los más necesitados, aunque sabemos que eso nunca sucederá.

Paola se sentó en el borde de la pared, justo donde hace más de doscientos años estuviera colocada la Piedra del Sol.

—A todo esto, ¿cómo se enteró Hernán Cortés de las joyas de Moctezuma?

—Si mal no recuerdo, tiene que ver con la Noche Triste, ¿correcto? —intercedió Elías.

—Una noche triste para los españoles, un milenio triste para los aztecas. En ese entonces el Imperio Azteca era el más poderoso del continente. Se estima que tenían más de quince millones de almas y controlaban todo el territorio: desde Tenochtitlan, todo el centro de México, desde la costa del Pacífico, hasta la costa del Golfo de México. Su imperio abarcaba hasta lo que hoy en día es Guatemala. Todo pueblo que era conquistado por los aztecas se le imponía un tributo que tenían que pagar en oro o piedras preciosas. Por eso Moctezuma era considerado un gran monarca, por la gran cantidad de riquezas que había adquirido el pueblo. Todos los aranceles que obtuvieron lo guardaban en el Palacio de Axayacatl, lo que ahora viene siendo el Monte de Piedad —María hizo una pequeña pausa—. Ese fue el error de Moctezuma.

—¿Por qué el error de Moctezuma? —preguntó Paola.

—Porque a la llegada de Cortés, Moctezuma los hospeda en ese mismo palacio. Hay que recordar que los aztecas pensaron que Hernán Cortés era la encarnación de Quetzalcóatl, la Serpiente Emplumada, por su barba y armadura, vistiéndolo a su llegada con joyas y oro. —Con voz fuerte y resonante, continuó su charla—: Según la tradición mexica, las riquezas no podían ser tocadas por nadie. El tesoro solo podía incrementar con los diezmos de los pueblos conquistados, tal y como lo había hecho su padre y su abuelo. Por eso Moctezuma pensó que los españoles tendrían las mismas costumbres, pero estaba muy equivocado. En el mismo libro de Díaz de Castillo, nombra cómo los españoles dieron con el tesoro de Moctezuma. Hernán Cortés le pidió al emperador azteca construir un altar cristiano en el Templo Mayor para poder adorar la cruz de Jesucristo, a lo cual Moctezuma se negó rotundamente. Pero les dio la oportunidad de construir un altar dentro del Palacio de Axayacatl donde residían los españoles. Ahí fue cuando Alonso Yánez, el carpintero de Cortés, al estar construyendo el tabernáculo, se encontró con una puerta que estaba sellada con basalto y encalada; al derribar la puerta se encontraron con toneladas de oro y joyas.

Elías se rio abiertamente.

—Esos son cuentos, nada de eso existió —volvió a repetir.

María lo ignoró por completo y prosiguió con su narración.

—En ese palacio tenían una especie de cuarto o sala del tesoro llamado Teucalco, algo que Bernal Díaz del Castillo lo deja muy claro en su libro la *Historia verdadera de la conquista de la Nueva España...* Cuando Cortés y sus capitanes entraron al Teucalco, vieron tanto número de joyas de oro y en planchas, discos de oro, ajorcas de oro, travesaños de pluma de quetzal, escudos finos, diademas de oro, piedras de chalchihuis, planchas de oro y otras grandes riquezas. El mismo autor Bernal Díaz comentó que él jamás había visto riquezas como aquellas y tenía por cierto que en el mundo no debería de existir otra como esa —comentó María, mostrando un gran poder de retención para datos y fechas. La manera en que se expresaba la anciana era como si lo estuviera leyendo—. Bien lo decía la carta de Hernán Cortés al emperador Carlos V, se fundieron más de ciento treinta mil castellanos, y entre el despojo de la ciudad encontraron muchas rodelas de oro, penachos de plumas y cosas maravillosas que no se pueden comprender si no son vistas. Por eso la llaman la Noche Triste, cuando Cortés y sus hombres se vieron obligados a salir de Tenochtitlan. Aprovecharon las tinieblas de la noche para robarse todo lo que pudieron y salir secretamente de la ciudad. A sabiendas de que no se podían llevar todo el oro del Teucalco, cargaron al máximo sus caballos y todo lo que ellos podían llevarse, precisamente por eso la fuga fue muy lenta. El factor sorpresa no duró mucho, especialmente en una ciudad con tantos habitantes. Una joven, que estaba sacando agua, dio la voz de alarma y de inmediato más de dos mil guerreros aztecas los alcanzaron en la calzada

México-Tacuba a unos kilómetros de la gran ciudad. Cerca de seiscientos europeos fallecieron esa noche, por eso la llaman la Noche Triste.

—¿Y qué pasó con el oro que se habían robado los españoles?

—Bueno, señorita, ahí fue cuando Hernán Cortés se puso a llorar en el famoso ahuehuete de Popotla allá en Tacuba, por eso lo nombran el Árbol de la Noche Triste. Lloraba de rabia e impotencia al ver a muchos de sus soldados heridos de muerte, pero su mayor dolor fue el que los soldados mexicas recogieron todas las piezas de oro y las devolvieron al Palacio de Axayacatl.

Elías volteó a ver su reloj.

—¿Y exactamente dónde encontraron el monolito de la Coatlicue?

—Fue exactamente aquí, a unos pasos de la catedral, justo en medio del Zócalo —declaró María, levantando la vista hacia el Zócalo, donde había muy pocas personas, la mayoría de ellas vendedores ambulantes, con mercancías de colores; algunos vendían dulces, otros, reliquias religiosas y, a pesar de la alerta roja, los comerciantes se mantenían en su rutina—. Y lo que es el karma, primero los españoles entierran a Coatlicue para que los indios no la siguieran venerando. Doscientos años después, cuando es desenterrada en 1790, fue como un pequeño llamado a la rebeldía, siendo el factor principal para comenzar veinte años después la lucha de independencia, poniendo así fin al dominio español en México.

Justo a las siete de la noche sonó la campana principal en la torre oriente de la catedral.

—Es el llamado de Doña María —comentó la guía, mientras volteaba a ver el campanario.

Elías y Paola voltearon a ver, anonadados. Una expresión de incredulidad apareció en el rostro de ambos.

—Doña María es la campana principal de la iglesia —dijo la anciana—. Esa fue fundida de un cañón que Hernán Cortés prestó especialmente para esto.

—¿Tiene nombre?

—Sí, señorita, aquí todas, las treinta y cinco campanas, tienen nombre.

El resto de las campanas comenzaron a sonar en lo alto de las torres.

—Esa última es la Ronca, por el sonido que sale de ella, la otra se llama Santa María de los Ángeles, que anteriormente se usaba para alertar a la comunidad.

—¿Se sabe el sonido de cada campana? —preguntó sorprendida Paola, mientras mostraba el esmalte de sus dientes blancos.

María esperaba por el sonido de cada una…

—Esa es San Pedro… San Gregorio… Santo Ángel Custodio… Me encanta el sonido de la Purísima Concepción… San Juan Bautista… Esa un poco más aguda es la de Santa Bárbara… San Juan Evangelista… Señora del Carmen… y Santa Ana, que da la nota *Fa* en la escala musical.

Elías sacó unos billetes de su cartera y se los entregó a María.

—Solo por eso merece esto y mucho más. Excelente, señora.

La guía tomó el dinero y se lo guardó en la bolsa interna del chaleco. Sin decir palabra, solo sonrió, mientras llegaban a una placa empotrada en el suelo en el Zócalo de la ciudad que decía: *1790-1990 El 13 de agosto de 1790 fue encontrada en este lugar la escultura de Coatlicue, Madre de los Dioses – 200 años de la arqueología mexicana. CNCA – INAH – DDF.*

—Aquí fue donde la encontraron —dijo Elías—. Estaban haciendo unos trabajos de excavación para el drenaje de la Nueva España y se toparon con este descubrimiento.

—Sí, así es —indicó María—. Lo que no sabían los españoles es que les saldría el tiro por la culata: primero encontraron a Coatlicue, cuatro meses después la Piedra del Sol y la piedra de Tláloc. Y la única razón por la cual no fueron destruidas por los españoles fue para demostrar al mundo que los aztecas eran una raza inteligente, y que su conquista no debería de ser desmeritada. Ya que la Piedra del Sol demostraba ser un almanaque, una escultura con un círculo perfecto, grabada con los días y épocas para la cosecha. Por eso el virrey de la Nueva

España, Juan Vicente de Güemes Pacheco y Padilla, segundo conde de Revillagigedo, en un afán por justificar el mérito de la conquista, mandó a poner la Piedra del Sol en la torre de la catedral, donde permaneció por más de cien años.

—¿Y qué pasó con la estatua de Coatlicue? ¿Esa adónde la llevaron?

—Esa, señorita, pasó por más problemas. Los españoles no le veían ni pies ni cabeza a la Coatlicue, por lo que no fue reconocida por la corona española. Primero la llevaron al patio de la Universidad de México, que estaba a unos doscientos metros de aquí. Pero pasó algo curioso. La gente, estoy hablando de los indígenas, la comenzaron a adorar una vez más. Por las tardes llegaban con veladoras y ofrendas para la Coatlicue. Los sacerdotes de la época, viendo que estaban perdiendo feligreses y que cada vez eran más y más lo que llegaban para adorar a la estatua, decidieron enterrarla una vez más.

—¿Y dónde la enterraron por segunda vez?

—Ahí mismo, señorita, en el patio de la universidad, que después pasó a ser el Convento de las Madres Capuchinas. Ahí mismo hicieron un gran hoyo y fue hasta el México independiente en 1821 que Agustín Iturbide la mandó a desterrar.

Las palabras de María indujeron al profesor a detener su marcha, volteó a verla y cuestionó:

—¿Dijo madres capuchinas?

CAPÍTULO 18

T – Menos 24 horas

Paz a los que llegan.
Salud a los que habitan.
Felicidad a los que marchan.

Esa era la frase que contenía un gran azulejo blanco con azul rodeado de un marco de hierro negro, justo a la entrada del Monasterio de las Hermanas Capuchinas, a unas cuadras del Zócalo de la Ciudad de México. Afuera, una monja vestida de hábito de un color pardo con una cofia blanca y un cordón ceñido a la cintura con tres nudos que penden a su lado, que representan sus votos de pobreza, castidad y obediencia, terminaba de barrer las cenizas volcánicas de la banqueta.

—Buenas noches —dijo Paola, justo al llegar al frente del convento de piedra roja de tezontle, con acabados cafés de concreto, arriba de la doble puerta una pequeña estatua de San Francisco de Asís.

—Muy buenas noches —respondió la monja, con voz suave pero firme, tomando el recogedor del suelo con la mano derecha y sosteniendo la escoba con la izquierda. Colocó ambos al lado de la pared y se acomodó el velo negro, que era el símbolo de humildad de las religiosas.

—¿Sería posible hablar con la madre superiora? —dijo en un tono amable y cordial.

—La monja superiora, en estos momentos, está adorando la eucaristía. Su turno de adoración es de siete de la noche hasta las doce de la medianoche. —Tras una breve pausa, prosiguió—: Sería mejor que regresen mañana.

—Señorita, este es un asunto oficial —le enseñó su credencial de médico del Ejército Mexicano—. Disculpa, ¿cuál es tu nombre?

—Sor Verónica —contestó la monja, secándose el sudor de la frente y ajustándose el velo una vez más.

—Sor Verónica, realmente nos urge hablar con ella.

Sin mostrar el menor interés por la identificación de Paola, le respondió:

—Señorita, es imposible interrumpir su turno de adoración. Con todo esto que está pasando en el mundo, con el robo de nuestra Virgencita sagrada y la erupción del volcán. Con nuestra oración continua y comunión con Jesús, tratamos de aliviar algunos de estos males.

—Sor Verónica, mi nombre es Elías Ortega —intercedió—, la señorita es la doctora Paola Zepeda. Precisamente estamos investigando el robo de la tilma de Juan Diego. Una de las pistas sobre este robo nos trajo precisamente aquí, al convento de las capuchinas.

La monja los vio detenidamente.

—Cada uno de nosotros tiene una misión, muchas veces no sabemos qué misión nos da Jesús en un determinado día, qué necesidad quiere que compartas o por quién quiere que reces. Creo que los rezos de nuestra madre superiora los trajeron hasta aquí. Por favor, pasen, permítanme un segundo mientras le mando a llamar —dijo sor Verónica, abriendo la enorme puerta doble de madera en la entrada del convento.

En la entrada del convento había imágenes de diversas religiosas que en algún momento formaron parte de la orden de las monjas capuchinas. A la derecha de la entrada uno de los cuadros más grandes era de la fundadora, la venerable sierva de Dios sor Ángela Margarita Serafina (26 de octubre de 1543), se leía en la placa de metal del cuadro, la cual estaba rezando de rodillas ante la cruz, en su pecho un enorme pendiente con el Sagrado Corazón de Jesús.

El piso de mosaico de saltillo café hacía juego con las bancas de madera y los marcos de los cuadros. A la izquierda un enorme reloj de péndulo dentro de una caja de madera de roble y una enorme ventana de cristal, justo bajo de un cuadro de Santa Clara.

Sor Verónica tocó la campana de la entrada, alertando a las otras diecisiete hermanas de que alguien ajeno había ingresado al convento. Dos de ellas que estaban terminando de barrer en el patio se prestaron de inmediato para ingresar a los cuartos del convento.

—¿Y eso lo tienen que hacer cada vez que alguien entra?

—Señorita, no es común que alguien entre después de las cinco de la tarde —explicó la hermana.

—Lo tenemos que hacer para alertar a las religiosas, y que se mantengan en sus recintos. Por favor, tomen asiento, ahorita le llamo a la madre superiora.

Paola tomó asiento en una banca de madera rústica justo en la entrada, mientras que Elías veía detenidamente el cuadro de sor Ángela Margarita Serafina.

Minutos después llegó la madre superiora. Una mujer de edad avanzada con lentes, de rostro redondo y mejillas rosas. Era la imagen viva de una mujer que ha vivido toda su vida en un convento, una mujer que le ha dado el esquinazo a una sociedad de consumo, dejando de lado sus planes personales, familiares y profesionales, dedicándose al bienestar de la sociedad por medio de la oración. Con una amplia túnica de color café, el color de la cruz y un velo del mismo color que le cubría el cabello para protegerla de toda vanidad, en la cintura llevaba un largo rosario de quince misterios sujeto al cinto.

—¿En qué puedo servirles? —dijo amablemente la religiosa, acomodándose el escapulario.

—Buenas noches —dijo Elías, mientras se presenta formalmente—. La doctora Zepeda, yo soy Elías Ortega, estamos investigando el robo de la Virgen de Guadalupe.

—¿Y nosotras qué tenemos que ver con eso?

—Nada directamente, pero los ladrones de la tilma sagrada

dejaron una clave en particular. Y esa es la que nos ha traído hasta aquí.

—¿Una clave en particular? ¿Se puede saber de qué se trata? —preguntó la madre superiora; su voz se entremezclaba con el canto de un par de ruiseñores que armonizaban un soliloquio en una jaula en el patio del convento.

—De Coatlicue —respondió Paola, mientras se levantaba del banco de madera.

La mente de la madre superiora hacía un repaso instantáneo de todas las cosas que había aprendido en su vida.

—¡Coatlicue! Hace mucho que no escuchaba ese nombre aquí en el convento. Pero pasen, por favor, a mi oficina, ahí les puedo ofrecer un poco de té y nuestros famosos cacahuates garapiñados, que hacemos aquí mismo.

Los pasillos del convento estaban adornados con todo tipo de estatuas religiosas y más retratos de monjas capuchinas, el patio central tenía un adoquín poroso blanco, con macetas llenas de flores en las esquinas y, justo en el centro del patio el busto de una monja de tamaño natural, con un gran adorno en forma de óvalo en el pecho. Los tres caminaron juntos de un lado del convento hasta el fondo. El aire continuaba con un ligero aroma a azufre.

A la entrada de la oficina de la madre superiora, la placa arriba de la puerta decía *Dios puede cambiar las tormentas de tu vida. Salmos 107:29.*

Al entrar a su despacho, el olor a azufre se mezclaba con el aroma de incienso de olíbano y mirra.

La reverenda puso a calentar agua en la cafetera eléctrica y les ofreció unas bolsas de cacahuates y almendras garapiñadas.

—Estos los hacemos aquí con una receta de cientos de años —comentó la madre superiora—. El chiste es utilizar avena cocida, después dejarla secar. Se pone sobre una palanqueta untada con aceite de almendra dulce, se colocan las almendras y cacahuates y al final se bañan con almíbar en punto de caramelo.

—Gracias.

Con todo este correcorre, a los dos se les había olvidado comer. Agradecidos, comenzaron a deglutir los caramelos.

—Es una receta que se remonta a la ocupación musulmana en España. Pero regresando al tema, ¿cómo decía de la Coatlicue?

—Realmente no tenemos muchas pistas sobre el robo de la Virgen de Guadalupe —comentó Elías—. Pero existe una relación del lugar donde fue encontrada la estatua de la Coatlicue y este convento.

—Es como si me estuviera hablando en chino, porque realmente no entiendo nada —respondió la monja—. No tengo la menor idea a qué se refiere.

—Coatlicue era la madre de los dioses. Y era adorada por los...

—Sé quién fue Coatlicue —interrumpió la religiosa—. Lo que no sé es la relación directa a este convento.

—Coatlicue fue hallada en el subsuelo de este convento —intercedió Paola—. Por eso queríamos ver si existe alguna relación directa.

—Lo siento mucho, señorita. No creo poder ser de mucha ayuda —respondió la madre superiora, levantándose de su asiento para servir el té.

En la pared estaba colgada una placa que homenajeaba los trescientos cincuenta años de las capuchinas en México.

—En 2015, la Orden de las Capuchinas cumplió trescientos cincuenta años aquí en México —dijo orgullosamente la madre superiora, sirviendo el té—. No ha sido fácil, no siempre tuvimos el apoyo de los gobernantes. Primero con las leyes de reforma de Benito Juárez comenzó la persecución religiosa y el despojo de los monasterios. Después con las leyes antirreligiosas de 1917.

—Como la Ley Calles —comentó Elías.

—Exactamente, ese fue el peor momento del convento y de los santuarios en México. Nuestras hermanas en ese entonces tuvieron que permanecer escondidas, con la aprensión y la incertidumbre de ser arrestadas si profesaban. Pero Dios es grande, a pesar de estas persecuciones y de los arrestos, las novicias continuaban llegando al convento, muchachas jóvenes que escuchaban el llamado de Nuestro Señor Jesucristo para hacer una vida de humildad, pobreza y entrega total abrazadas a Cristo.

—¿Conoció usted a la madre Conchita? —preguntó Elías, tajantemente.

La madre superiora se quedó rígida en su asiento.

—Estoy vieja, pero no tan vieja —respondió, viéndolo a los ojos—. La madre Conchita es algo de lo que no se habla en el convento. Ha sido el episodio más oscuro de este claustro. No la conocí en persona, pero leí sobre el caso. Aunque fue hallada culpable, nunca se pudo comprobar nada.

—¿Por qué nadie la fue a visitar a la cárcel, si es que era inocente?

—En ese entonces la relación entre la Iglesia y el Gobierno no era del todo buena —comentó la monja, mientras acariciaba los bordes de su taza de té—. La idea original de la madre Conchita era llegar a ser santa, pero desgraciada, o afortunadamente, uno propone y Dios dispone. Su pecado fue haber sido amiga de un miembro del movimiento cristero. Cuando fue detenida, la policía arrestó a todas las doce monjas del convento, pensando que eran cómplices. Semanas después todas fueron liberadas a excepción de Conchita. Incluso tengo entendido que al salir de la penitenciaria lo primero que hizo fue ir a dar gracias a la Basílica de Guadalupe por darle la fortaleza para poder aguantar todos esos años en prisión.

Terminó de tomar su té de un largo trago y les dijo, directamente a los dos:

—Pero ustedes, ¿vinieron hablar de Coatlicue o de la madre Conchita?

Elías la miró sombríamente.

—Creemos que podría haber alguna relación entre las dos.

—Pero hay más de cuatrocientos años entre una y otra —

respondió la monja sin voltear la cabeza, viendo directamente un cuadro en su pared.

—Madre —comentó Paola, mientras sacaba la libreta de su bolsa—. Lo que estamos buscando es más complicado —abrió la libreta en la segunda página y se la mostró a la superiora.

NICĀN MOPŌHUA
1531 Aparición de la Virgen en el Tepeyac
1556 Antonio Valeriano escribe el Nicān Mopōhua
1851 Exministro José Fernando Ramírez es desterrado y se lo lleva
1880 Una copia se subasta a la Biblioteca Pública de Nueva York

Los ojos de la madre superiora se fijaron fríamente en la escritura de Paola. Una sensación de hielo le recorrió la columna vertebral.

—¿Andan buscando el *Nicān Mopōhua*? —articuló la monja—. ¿Es eso lo que realmente están buscando?

—Madre, sabemos que por más de doscientos años ese documento estuvo aquí en el convento —dijo Elías—. Es de suma importancia que encontremos este manuscrito.

La madre superiora se quitó los lentes y se talló los ojos, antes de contestar:

—El *Nicān Mopōhua* es un libro que le pertenece a la Iglesia. Hizo una pausa y rectificó:

—No, más bien le pertenece al pueblo. ¡No al Gobierno! —se levantó de su silla y les abrió la puerta—. Por muchas décadas sufrimos la represión del Gobierno, los arrestos, las reprimendas en contra de la Iglesia. ¡No más! Ahora si me disculpan.

Abrió la puerta de par en par.

Elías no se quiso dar por vencido tan fácilmente. Volteó a ver a Paola, asintiendo con la cabeza.

—Tenemos que contarle todo lo del arzobispo.

—Pero ¿y eso que la tilma arde?

Hizo caso omiso a las palabras de Paola. Elías continuó:

—Madre, no es para nosotros y mucho menos para el Gobierno. De esto depende que la tilma de Juan Diego regrese a la basílica. Uno de los involucrados con el robo demandó que, para devolver la manta sagrada, solamente la canjearán por el *Nicān Mopōhua*. Esa es la verdadera razón por la que estamos aquí.

La madre superiora se mantuvo unos segundos con la mano en la puerta, volteó a ver el crucifijo en la pared y respondió a secas:

—Ese manuscrito no está en este convento.

—Pero estuvo casi trescientos años aquí.

—Sí, señor. Pero ya no está. Desde hace mucho tiempo no se sabe de su paradero —comentó la monja, cerrando la puerta una vez más.

Lentamente caminó hasta el fondo de la oficina, donde tenía una librería con muchos tomos. Algunos delgados, otros más gruesos. Todos estaban ordenados por números romanos. Lentamente se agachó, pasando el dedo índice sobre la carátula de los libros. Hasta que tomó uno que enumeraba MDCCC. Lo tomó con las dos manos y regresó al escritorio.

—Nunca pensé que volvería a retomar este volumen, pero aquí está.

Al abrir sus páginas, se veían las partículas de polvo fino que salían del libro al cruzar por la luz de la lámpara en el escritorio.

—Mil ochocientos, mil ochocientos veinte, mil ochocientos cuarenta, mil ochocientos cincuenta, mil ochocientos sesenta. Aquí está —le dio vuelta al libro para que Paola y Elías pudieran leer.

4 janvier 1866 – l'histoire du. Mexique. Catalogue raisonné de la Collection de M. E. Eugene Gotze. Manuscrits figuratifs et autres sur papier indigene d'agaz:e mexicain et sur papier europeen anterieurs et posterieures a la conquete du Mexique

—¿Lo escribían en francés?

—En ese entonces, señorita, teníamos hermanas de toda Europa. Me imagino que la que hizo esa entrada en el libro fue una francesa. Pero lo que quiero que vean es esto —señaló con el dedo la mitad de la página.

2 de febrero 1866 – Una de las tareas en que vemos más empleado al Provincial José Fernando Ramírez, jurista, diputado, senador, periodista, bibliógrafo, historiador, Ministro de Relaciones Exteriores y Director del Museo Nacional, es en la visita canónica a los conventos de la región, donde pide por voluntad del Emperador de México Fernando Maximiliano José María de Habsburgo-Lorena. Todos los libros referentes a la conquista de México. El P. Ramírez escribía continuamente, haciendo acotación especial en los manuscritos indígenas escritos en náhuatl lingua franca.

13 de febrero de 1866 – Visitó el convento de las capuchinas, pues firma en el libro de Capitales de la entidad. El P. Ramírez insistió mucho para tener acceso al Nicān Mopōhua. Una de las tareas en que vemos más al Provincial Ramírez, es el acceso y la proximidad de toda literatura indígena.

15 de abril de 1867 – Según la Constitución, el Provincial Ramírez debía haber terminado su cargo de Ministro de Relaciones Exteriores y Director del Museo Nacional, con el desencadenamiento de leyes y disposiciones generales del gobierno de Maximiliano I de México. Comunicándole la negación de acceso a los libros del convento.

13 de enero de 1868 – El segundo lunes del año bisiesto, tras el fusilamiento de Maximiliano I, el Provincial José Fernando Ramírez acompañado por Faustino Galicia Chimalpopoca se hicieron de múltiples manuscritos originales indígenas de la colección sagrada del convento, entre los propios comprendiendo el Nicān Mopōhua. Su destierro, ante el sable del presidente Benito Juárez, lo lleva al otro lado del Atlántico.

Paola tomaba nota de esta cronología, de todo lo que había pasado.

—Yo tenía entendido de que había sido desterrado en 1851.

—No, al parecer fue hasta 1868, tras el asesinato de Maximiliano I —expresó Elías—. Fallece en Alemania en 1871 y un ejemplar del *Nicān Mopōhua* es vendido a la Biblioteca Pública de Nueva York en 1880. ¿Y el original?

—Al parecer las intenciones del ministro Ramírez eran buenas. Él con su acción salvó que el *Nicān Mopōhua* fuera destruido por el gobierno del presidente Juárez, que expidió la ley para nacionalizar todos los bienes eclesiásticos, quitándole a la Iglesia católica todas sus propiedades en México, incluyendo conventos y monasterios. Por eso tiene que leer la siguiente página —comentó la madre superiora, mientras le daba vuelta a la página.

21 de abril de 1870 – El Provincial Ramírez se presentó a las puertas. Dirigiéndose al clero secular y regular, pidiendo apoyo médico. Presentaba fiebre elevada, escalofríos y la cabeza llena de Pediculus humanus capitis. Se aisló en la sala norte, donde se le aplicaron sangrías con sanguijuelas, compuestos arsenicales para la fiebre – caldo de gallina – ración generosa de vino y ropa de abrigo. Baldes de ácido azoico para la irrigación. Sábanas y ropa, lavada en ácido fénico.

—En pocas palabras, regresó al convento con un caso de tifus exantemático causada por piojos —explicó la superiora—. A principios del siglo XIX, los médicos no se lavaban las manos, pues ignoraban todo acerca de gérmenes y microorganismos. Era muy común que trabajasen en un paciente y de inmediato atendieran a otro, sin lavarse las manos. En esa época el tifus era una epidemia, acabó con la vida de mucha gente. La falta de higiene era una de las causas principales.

—Sí, me imagino que se hacía mucha medicina especulativa.

—Sí, así es, señorita. La asistencia sanitaria era privada. Los hospitales solo se encargaban de la atención a la clase pobre. El promedio de vida en esa época era de 29 años.

—Entonces el ministro Ramírez regresó a México para después volverse a Europa donde falleció un año más tarde. ¿Y eso por qué?

—Regresó para devolver el *Nicān Mopōhua*. Estando en Alemania, hizo la copia con Faustino Galicia Chimalpopoca, que era un maestro de náhuatl. Esas son las dieciséis páginas que continúan en la Biblioteca Pública de Nueva York —respondió la monja al profesor.

Elías se recostó en la silla, dejando salir un suspiro.

—Entonces, ¿lo tienen aquí? —Paola volteó a ver a la madre superiora con un aire esperanzador.

La monja se levantó de su silla, tomó unos cerillos y encendió otro incienso de mirra debajo de la cruz de Cristo.

—No, desgraciadamente nos lo volvieron a robar —dijo abochornada y con cara triste—. Les comenté que aquí nadie habla de la madre Conchita, porque fue el episodio más negro del convento.

La monja tomó un largo suspiro.

—Ella fue quien se robó el *Nicān Mopōhua*.

—¡¿Qué?!

Era como si un balde de agua helada cayera sobre Elías.

—¿Cómo es posible que una monja se lo robara?

La madre superiora se quitó los anteojos y se talló la cara en señal de obvia frustración.

—Antes de ser enviada a las Islas Marías a pagar su penitencia, juró vengarse de la Iglesia, por la falta de apoyo durante su juicio, y cuando salió del convento en mayo de 1929 se fue con el *Nicān Mopōhua*.

Paola volteó a ver a Elías, mientras hacía más anotaciones en su libreta.

NICĀN MOPŌHUA
1531 Aparición de la Virgen en el Tepeyac
1556 Antonio Valeriano escribe el Nicān Mopōhua
1851 Exministro José Fernando Ramírez es desterrado y se lo lleva

1880 Una copia se subasta a la Biblioteca Pública de Nueva York
1929 Madre Conchita se lo roba del convento

—¿Cómo es posible que un documento tan importante estuviera al alcance de cualquiera? —dijo el profesor.

—La madre Conchita no era una cualquiera —refutó la monja, enojada—. No, señor. La madre Conchita era una de las religiosas con mayor rango en el convento.

—Y todo esto, ¿está escrito en alguno de los libros del fondo?

—No, señor. No está escrito. Después de que el ministro Ramírez devolvió el *Nicān Mopōhua*, la madre superiora en ese tiempo decidió no escribir más sobre el caso para evitar que el Gobierno se enterara y que se los quitaran. Les digo, por cientos de años la relación Iglesia-Gobierno no ha sido muy buena.

La monja volteó a ver un cuadro en la pared que estaba un poco desnivelado. Se levantó y lo puso a nivel.

—¿Es sor Juana Inés de la Cruz? —comentó Paola, viendo el cuadro, mientras volvía a colocar el cuaderno de notas dentro de su bolsa.

—Sí, señorita, fue una de las primeras hermanas capuchinas.

—Hombres necios que acusáis a la mujer sin razón, sin ver que sois la ocasión de lo mismo que culpáis —expuso orgullosamente Paola.

Con una sonrisa en los labios, la madre superiora continuó:

—Si con ansia sin igual solicitáis su desdén, ¿por qué queréis que obren bien si las incitáis al mal?

—¡Es uno de mis poemas favoritos! —le dijo Paola—. No tenía idea de que ella había sido parte de las monjas capuchinas —se levantó de su aposento para ver más de cerca el cuadro.

—Juana Inés de Asbaje Ramírez de Santillana fue su verdadero nombre. Y es hasta el momento la monja más celebrada en todo México y en gran parte del mundo. Para todas las hermanas del convento es obligatorio leer los escritos de sor Juana

Inés de la Cruz. Tengo entendido que nadie disfrutaba más de esta lectura que la madre Conchita.

—¿Sabe cómo y por qué se metió al convento?

—Claro, señorita, es una historia que todas las capuchinas conocemos muy bien. En 1665, seis hermanas provenientes del convento de San Felipe de Jesús de Hermanas Capuchinas en Toledo, España, emprendieron el viaje a la Nueva España. Después de más de un mes en alta mar, llegaron al puerto de Veracruz. Se hicieron llamar Las Navegantes. Un día, después de arribar a Veracruz, una tormenta azotó el Golfo de México, hundiendo los tres navíos incluyendo en el que viajaban las seis hermanas capuchinas —expresó la religiosa, parándose al lado de Paola, admirando el cuadro de sor Juana—. Días después, llegaron a la Ciudad de México, donde fueron recibidas por la virreina y sus damas, entre ellas estaba una joven de diecisiete años que más tarde fue bautizada con el nombre de sor Juana Inés de la Cruz.

Paola se acercó más al cuadro para ver los detalles y leer los nombres de los tomos en los libros que estaban en la biblioteca de la musa.

—Farmacia, cirugía, anatomía. Se ve que le gustaba leer de todo a sor Juana —comentó al leer los títulos de los libros de la biblioteca a las espaldas de la musa.

—Sí, esa fue la razón principal por la cual ingresó al convento. Porque quería tener tiempo para leer y poder escribir su poesía, a parte, por supuesto, para rezar y servir a Dios —comentó la superiora, tocando con su mano el cuadro, como queriendo palpar las carátulas de los libros—. Desgraciadamente, a las mujeres de esa época se les prohibía alimentar el cerebro. Se tuvo que disfrazar de hombre para poder estudiar en la universidad. Por eso me encanta este cuadro, porque la pintaron con todos sus libros, libros de los que ella se tuvo que deshacer.

—Teología mística, teología moral —leía en los tomos justo arriba a la izquierda de la cabeza de sor Juana Inés de la Cruz, mientras seguía analizando el cuadro—. Parece que le gustaba desvelarse, porque la pintaron muy tarde.

—No, por lo general nos dormimos temprano aquí en el convento —refutó la madre superiora.

—Bueno, este lo pintaron el día 15, a las 12:47 de la noche.

La madre superiora señaló la fecha en que el artista pintó el óleo.

—Este es un retrato póstumo de 1750. Sor Juana falleció en 1695. En esa época hubo una pandemia de la bacteria *Yersenia pestis*, mejor conocida como la peste bubónica, traída al Nuevo Mundo por las pulgas en las ratas que venían en los barcos españoles.

La religiosa hizo una pausa; después, con voz pausada, continuó:

—Varias religiosas del convento de las capuchinas contrajeron la enfermedad. Les vino la pestilencia, mató a muchas monjas y a otras las dejó con malas llagas en las piernas. Cuando una persona es infectada, puede transmitir la enfermedad de persona a persona. No simplemente se erradica cuando acabas con las ratas. Sor Juana cayó enferma un poco más tarde, cuando contrajo el virus mientras atendía a sus hermanas enfermas. Es una forma horrible de morir.

Elías dejó de tomar su té, poniéndolo abruptamente en el escritorio de la madre superiora.

—Del día 15 a las 12:47, ¿cómo puedes ser tan específica?

Frunció la frente y cerró un poco los ojos, acercándose a examinar de cerca el cuadro.

Se produjo un silencio incómodo en la oficina de la madre superiora, mientras los tres observaban el cuadro de sor Juana Inés de la Cruz.

«12:47. Del día 15», Paola sacó apresuradamente el cuaderno de notas de su bolsa y lo abrió en la tercera página.

CARRILLÓN EN LA BASÍLICA
Relojes = 17:47
Reloj Azteca – en el día 15 / Luna Menguante
Astrolabio – señala a Marte
Serpientes.

Elías se quedó pasmado con esta información.

—No puede ser una simple casualidad.

Paola comenzó a leer los mensajes escritos en el óleo por el artista Miguel Cabrera. «Retrato de la Phoenix Americana. La madre Juana Ynes de la Cruz, conocida en la Europa como la Décima Musa», finalizó la doctora. «Lo demás está en latín y algunos jeroglíficos medio raros».

—Ese era el estilo de Miguel Cabrera, quien fuera uno de los artistas más renombrados de México en ese tiempo —comentó la religiosa—. Era conocido por incluir textos y leyendas en sus cuadros en español y en latín. Era como un tipo de rompecabezas, un crucigrama, un juego de inteligencia del artista con la gente que veía sus bosquejos.

Los tres veían detenidamente el cuadro de la Décima Musa. Aunque la monja no sabía exactamente qué era lo que buscaban, preguntó ruborizada y confusa:

—¿Hay algo en particular que estén buscando?

—*Vilper autumm palatte* (colores de otoño). Al parecer el artista ponía qué tipo de colores usó en este cuadro —comentó el profesor, mientras se acercaba más al extremo inferior derecho del cuadro donde se leía: «Ve otro lado hallará».

—*Ve otro lado hallará* —repitió Paola—. ¿Habrá algo detrás del cuadro?

La madre superiora volteó a ver a Paola, después volteó hacia el otro lado para observar al profesor.

—¿Me permite ver la parte de atrás del cuadro? —preguntó Elías.

—No sé qué quieran encontrar detrás más que polvo y posiblemente alguna telaraña —respondió la monja.

Elías con mucho cuidado tomó el cuadro con ambas manos y lo destrabó del clavo en la pared, colocándolo boca abajo inclinado sobre el escritorio.

—No hay nada —exclamó Paola, desanimada y alterada—. *Ve otro lado hallar*á. No significa nada.

—¿Qué? ¿Pensaban hallar algo detrás de este cuadro? —les recriminó la madre superiora—. ¡Primero Coatlicue, después la madre Conchita y ahora el cuadro de sor Juana Inés de la Cruz! —enumeró la monja, mientras le quitaba el cuadro de las manos a Elías y lo volvía a colocar en la pared—. Para comenzar este no es el óleo original. El original está en el Museo Nacional de Historia, en el Castillo de Chapultepec.

CAPÍTULO 19

T – Menos 21 horas

La Constitución Política de los Estados Unidos Mexicanos establece el derecho y libertad de la ciudadanía para manifestarse, siempre y cuando sea de un modo correcto sin perjudicar al prójimo. Pero muy poca gente sabía que el mismo Ejército Mexicano realizaba actividades de espionaje político desde el sexenio de Luis Echeverría Álvarez hasta la época de Andrés Manuel López Obrador. Todo bajo el cobijo de la inteligencia militar: la Sección Segunda del Cuerpo Militar se dedicó a espiar cada movimiento, reunión, asamblea, mitin y manifestación de distintos grupos políticos, sociales, empresariales y religiosos. Por eso fue un grave error no tener ningún conocimiento de la supuesta milicia cristera mencionada por el profesor Elías Ortega.

En la carretera México-Cuernavaca en el kilómetro 22 de la colonia San Pedro Mártir, en Tlalpan, Ciudad de México, se encuentra uno de los edificios más singulares de todo México, se trata del Heroico Colegio Militar del Ejército Mexicano, diseñado por el arquitecto Agustín Hernández Navarro en 1976, este conjunto arquitectónico militar fue diseñado pensando en los diferentes sitios arqueológicos del país, representando las pirámides de Teotihuacán por su índole urbano-espacial, en el Tajín por su espacio hundido y en Monte Albán por su asimetría. Las montañas que lo circundan son un remate de los edificios y a la vez forman una muralla natural que enmarca las instalaciones del plantel. El edificio principal tiene una fachada como el mascaron de Huitzilopochtli, dios de la guerra para los mexicas. Dos grandes ventanales toman el papel de ojos, mientras que la entrada principal sería la boca, la cual conduce hacia la sala de la bandera. Ya adentro del edificio principal, en el tercer piso, tenía su oficina el general Teófilo Baltazar, que tenía una cara de preocupación.

—¿Cómo que no los encuentran? —le gritó al soldado raso, uno de los cadetes recién graduados.

—No contestan, general. Utilizamos el sistema Neolix para rastrear sus móviles, pero al parecer están apagados y no mandan señal —respondió sobresaltado el joven soldado.

El sistema Neolix era un software de vigilancia que compró el Ejército Mexicano en el año 2018 por 4,5 millones de dólares, que en teoría fue utilizado para espiar a los candidatos presidenciales. Pero una vez culminadas las elecciones, el ejército comenzó a monitorear a las personas sospechosas de crímenes y aquellas vinculadas con el narcotráfico.

—Y en el hospital reportan que el arzobispo John Balda tampoco está en su cuarto. ¡Al parecer se dio de alta él mismo y salió del hospital!

—¡Eso es inaceptable! —descargó un puñetazo en el escritorio, que hizo caer un retrato de su familia que tenía sobre él—. ¿Cómo es posible que no pusieran a ningún guardia a custodiar esa habitación?

—Porque el arzobispo no estaba entre los sospechosos —contestó inocentemente el soldado.

—No te pregunté tu opinión, ¡con un carajo! —gritó el general, acomodando el cuadro en su escritorio—. Manda a revisar el sistema C5 a ver si hay alguna señal de ellos. Es imposible que no sean captados por una de las quince mil cámaras de vigilancia.

Otro cadete entró a la oficina, se cuadró y se colocó al lado de la bandera.

—General, el sistema acaba de localizar al profesor Elías Ortega y a la doctora Paola Zepeda en el Museo Nacional de Antropología.

—¿Qué carajos están haciendo ahí? Con todo lo que está pasando en el país y estos dos se van a visitar un museo.

—Estuvieron ahí hora y media y después se fueron rumbo al Zócalo.

—¿Tú me estás viendo la cara de idiota? O ¿qué carajos? —gritó el general, enardecido—. Primero el museo, ahora el Zócalo y después qué sigue, ¿ir a remar al bosque de Chapultepec?

Ordenó de inmediato que dos patrullas los localizaran.

—Pongan una alerta en las placas del auto de la doctora Zepeda y también del profesor Ortega. A estas alturas no sabemos si hay alguna relación con la desaparición del arzobispo.

A 146 kilómetros de distancia del colegio militar se encuentra San Luis Tehuiloyocan, perteneciente al municipio de San Andrés Cholula, en el estado de Puebla. Ahí cerca del Santo Entierro está la casa llena de figuras medievales con alusión a Satanás, por eso su nombre de la Casa del Diablo. Dando vuelta lentamente hacia la entrada del garaje, una Blazer negra con tres personas adentro. La puerta del estacionamiento se abrió automáticamente. Los marcos de las ventanas a los lados de la casa se asemejaban a las columnas de una iglesia, pero curiosamente estaban de cabeza.

Desde la fonda de la esquina, Moisés observaba con detenimiento, inclinándose sobre una de las mesas. Al entrar la Blazer negra, la puerta del garaje se mantuvo abierta.

Moisés alcanzó a distinguir a cuatro individuos que salían de la puerta principal cargando algo pesado como un cuadro cubierto con una manta verde. Dos más los venían escoltando con armas semiautomáticas. Todos se subieron al autobús escolar, que partió por la avenida principal hacia el sur. Moisés se subió a su motocicleta y continuó en su persecución con cierta distancia.

Tras esperar que el autobús partiera, el arzobispo John Balda y los dos enfermeros se bajaron de la camioneta. El sacerdote se veía ansioso por entrar a la vivienda.

El Muñeco fue el primero en salir de la casa para darle la bienvenida al sacerdote, al cual saludó efusivamente.

—¿Te acuerdas, Muñeco, lo que te dije hace cinco años?

El Muñeco recordó esa noche cuando ensangrentado ingresó a la iglesia donde estaba John Balda, pidiendo por favor que lo escondiera de los pandilleros que lo perseguían.

—Sí, padre, lo recuerdo muy bien. Me dijiste que mi vida cambiaría si me alejaba de la pandilla. Y me escondiste de los pandilleros que me querían matar.

—Pues bien, tu vida ahora sí tendrá un giro de ciento ochenta grados —le respondió el sacerdote, mientras entran en la vivienda.

Arriba de la mesa de centro estaba el manto verde cubriendo el cuadro de cristal que medía aproximadamente 2,40 × 3,60 metros con el marco exterior de acero dorado de unos 2,5 centímetros de anchura. En las cuatro paredes de la habitación había manchas rojas como si una persona hubiera salpicado pintura roja con una brocha. Algunas eran gotas minúsculas, otras más gruesas que habían resbalado por la pared un par de centímetros por la gravedad. Las gotas rojas no solo estaban en las paredes, también en el piso había manchas rojas.

El prelado se acercó a la mesa.

—Apaguen la luz y cierren las ventanas —les ordenó a sus dos ayudantes—. Traigan el espectrómetro y la Flir E-8.

Se tomó de las manos, agarrando cada falange de la mano izquierda, haciendo sonar el gas depositado en cada articulación interfalángica. El crujido de los dedos llenó la habitación en menos de un milisegundo, después repitió la misma acción con la mano derecha. Después de hacerlo en cada dedo, los juntó todos, haciendo que crujieran juntos. Tomó su celular y puso música. Era el sonido de una orquesta sinfónica que tocaban magistralmente el *Ocaso de los dioses* de Richard Wagner. Levantó ambas manos, las movió al compás de la música de flautas, violines y trompetas.

—¿Crees que tengamos la respuesta con este análisis? —preguntó El Muñeco, mientras cerraba las ventanas y las cortinas del cuarto, prendiendo una luz roja, como la que se usa en los cuartos de revelado fotográfico.

—Con la microespectrometría y la cámara infrarroja veremos cosas que jamás se han revelado en la manta —colocó ambas cámaras arriba del manto verde y las prendió.

Las dos cámaras estaban sujetas en una plataforma rodante para tener un movimiento horizontal a todo lo largo de la tilma. El foco rojo del espectrómetro se encendió anunciando que estaban grabando. Un instante después el foco rojo de la Flir E-8 se iluminó. El arzobispo se puso unos guantes blancos de tela, dándole un par a El Muñeco. De manera pausada, abrió el manto verde.

Un reflejo instantáneo provocó que los pequeños músculos de cada capilar del arzobispo se contrajeran y se le pusiera la piel de gallina. Esa reacción corporal, que por lo general estaba asociada con el frío, en ese momento estaba asociada con un intenso sentimiento de alegría y esperanza. Con mucho cuidado, quitó los bordes dorados de acero inoxidable. Enseguida con la ayuda de El Muñeco removió el cristal antibalas del camarín y lo recargó en la pared. Volteó a ver al expandillero y le dijo:

—¿Sabías que en 1926 los sacerdotes de la basílica sacaron la imagen del Tepeyac para protegerla de la milicia cristera? Temían que se la robaran, por lo que mandaron a pintar una réplica que fue venerada durante tres años, hasta 1929 cuando la retornaron a la basílica.

—¿Y qué hicieron con la original? ¿Dónde la guardaron?

El arzobispo apretó el botón de ENTER en el ordenador y ambas cámaras comenzaron a grabar el lienzo de arriba abajo. La plataforma rodante fue lentamente avanzando milímetro a milímetro, sometiendo al lienzo a la microespectrofotometría, lo cual era un procedimiento que utilizaba luz ultravioleta para ver detalles microscópicos dentro de las fibras de la tilma de Juan Diego. Y también el microdensitómetro, una cámara utilizada por la NASA para fotografiar planetas distantes y otros sistemas estelares.

—La original la metieron entre dos colchones y la transportaron en el camión del coro infantil de la basílica.

—¿De ahí la idea de usar un autobús escolar para transportarla?

—¿No crees que fue lo más irónico de todo? —comentó el sacerdote con una sonrisa, mientras las cámaras continuaban grabando la imagen—. La escondieron en un closet de doble fondo. Y durante tres años estuvo ahí. Hasta que decidieron regresarla a la iglesia.

La imagen estaba siendo digitalizada, el espectrómetro lanzaba un pequeño rayo infrarrojo que rebotaba en la tela de la manta, los diferentes matices y colores eran convertidos en números y transferidos a un programa especial de la laptop que estaba situada al fondo de la mesa. El arzobispo se acercaba para ver las anotaciones de la computadora, observando la manera en que la luz interactuaba con las moléculas de la tilma, proporcionando una nueva forma sobre la percepción y la composición de todos los materiales del ayate.

—La imagen en la tela no fue hecha con pigmentos de pintura, ni tampoco con mezclas químicas. El programa muestra una pequeña radiación muy fina, finísima. Se hubiera necesitado un flash de un millón trecientos mil grados de temperatura para plasmar una imagen similar en una tela —señaló Balda, mientras leía el programa en la computadora portátil.

—¿Exactamente cómo funcionan estas cámaras? —preguntó El Muñeco.

—El espectrofotómetro genera una fotografía no convencional realizada por medio de un rayo ultravioleta, capaz de fotografiar y reconstruir cualquier trazado en las fibras de la tilma en una oscuridad total.

—¿Me imagino que es un sistema bastante caro?

El arzobispo lo volteó a ver y le dijo, sorprendido:

—Te dije que por lo menos que te debes de preocupar es por dinero. Cuando todo esto termine, tendrás tanta riqueza que no sabrás qué hacer o qué comprar.

Tras filmar y documentar cada centímetro de la tilma sagrada, la plataforma rodante estaba llegando al final del ayate.

Todas las imágenes estaban siendo procesadas en el ordenador y reconstruidas con el programa del VP-8, que permitía que el rayo ultravioleta penetrara cada fibra de la tilma, ya sea la capa superior, la del medio o la de abajo. Viendo detenidamente el procesador, el arzobispo quedó pasmado con el resultado final. Dio un paso para atrás, con el rostro desencajado y volteó a ver a El Muñeco.

CAPÍTULO 20

T – Menos 19 horas

Elías y Paola conducían por el Eje 1 Sur o avenida Chapultepec.

—El museo ya está cerrado. Abren mañana a las nueve de la mañana —comentó Paola, mientras chequeaba el internet en el celular.

—¿Hasta mañana?

—¿Y qué piensas hacer?

—No sé, tengo que pensar qué podemos hacer —comentó Elías, mientras transitaba por la Colonia Condesa.

—Lástima que no tengo mi celular, tengo un tío que es guardia de seguridad de la misma compañía que contrata la seguridad del Castillo de Chapultepec.

—¿Y no te acuerdas de su número?

La doctora le respondió de una manera punzante, sonriendo:

—¡Ya le hubiera llamado si lo tuviera!

—Pero debe de haber alguna manera de conseguir su número o que te comuniques con él.

—No tiene ni Twitter, ni Instagram y mucho menos TikTok.

—Eso lo tienen solo los milenios —declaró Elías—. ¿Y Facebook?

—Sí, Facebook sí tiene. Déjame bajar la aplicación y le mando un mensaje —Paola tomó el teléfono y se conectó a su red social—. Definitivamente, el pasado era mejor que el presente —comentó sin levantar la mirada.

—¿Por qué lo dices?

—Porque ahora todo es buscando la aprobación de los demás, cuántos *me gusta* tienes en cada foto, cuánta gente comenta en tus videos, cuántos seguidores tienes, si eres un *influencer* o no. ¿Cómo es posible que un *influencer*, poniendo estupideces en sus redes sociales, gane más que un profesor o que un doctor?

Elías no comentó nada: sabía que la doctora tenía razón.

Haciendo un giro en la conversación Paola, volvió a retomar el tema.

—¿Y para qué pueden querer el *Nicān Mopōhua*? ¿No tiene más valor la imagen de la Virgen de Guadalupe?

Elías de inmediato le dio una mirada especial a Paola, esa mirada que solo la mostraba dando sus cursos en la universidad.

—La imagen de la Virgen de Guadalupe tiene un valor indescriptible. Hay tantos símbolos y códices ya científicamente comprobados, que me llevaría un buen rato explicando cada uno de ellos.

—Bueno, mientras se nos ocurre hacer algo para ver el cuadro de sor Juana. Así me entretienes un poco —dijo la doctora, risueña.

—Ok, me suena bien. ¿Te acuerdas el estandarte que usó Miguel Hidalgo y Costilla cuando hizo el llamado para la independencia de México?

—Claro, fue algo que nos metieron a taladro en la primaria. Llevaba el estandarte de la Virgen de Guadalupe.

—Así es, Miguel Hidalgo tomó del santuario de Atotonilco esa imagen de la Virgen que pronto se convertiría en el símbolo de su ejército. Hidalgo sabía que la mejor manera para jalar a la gente era con la imagen religiosa. Les inculcó a todos sus soldados que la Virgen de Guadalupe estaba con ellos y con su causa, diciéndoles: «Si ella hubiese querido se habría aparecido en otra parte y eligió a México para aparecer», por lo cual era la protectora de la independencia. Para ellos era un argumento irrebatible. Tal era el poder del cura Hidalgo con el estandarte de la Virgen a su lado que tres días después de iniciado el movimiento tenía setenta mil hombres luchando junto a él. Si vemos los mensajes escondidos en la tilma, estos códices estaban dirigidos a los indígenas mesoamericanos. Algo que el papa Juan Pablo II llamó una perfecta inculturación.

—¿Qué es eso de la inculturación?

—Es un proceso de integración de una cultura a otra. Es la manera de comunicar un mensaje a otro pueblo que no habla tu idioma. Y la Virgen fue el mejor ejemplo de unir a dos pueblos. El azteca o mexica y el español —Elías siguió contando su historia, mientras los ojos café de Paola se abrían y cerraban de sorpresa y admiración—. Cuarenta años después de la aparición de la Virgen en el Tepeyac, el mismo estandarte fue utilizado en la Batalla de Lepanto. Esta fue una batalla decisiva en Europa, un momento crucial en la historia del mundo. Los turcos habían tomado demasiado poder después de invadir Chipre, que en ese momento era de Italia. Sabiendo que los musulmanes estaban a punto de tomar el control de casi toda Europa, los católicos se unieron para integrar la Liga Santa, formada por España con el rey Felipe II, los Estados Pontificios (que abarcaban Italia), el Vaticano, la República de Venecia, Malta y Génova. Estos unen fuerzas y lanzan una armada en contra de los otomanos. Cabe destacar que la Armada Santa era incomparablemente inferior al increíble Imperio Otomano, que tenía desde buques incendiarios, cañoneras y fragatas de asalto. Eran el terror de Europa, feroces en la batalla a través de una planificación pragmática y calculada. La estrategia de los otomanos era separar los buques cristianos de la flota para hundirlos individualmente. De ahí la frase divide y vencerás. Todas estas naves de guerra eran propulsadas a remo, accionadas por esclavos o prisioneros de guerra que estaban esposados a sus remos y se hundían con su galera si esta se iba al fondo del mar en combate. Uno de los buques de la Liga Santa que encabezaba la batalla era del almirante español Andrea Doria, quien mandó a colocar en su galeota el estandarte de la imagen de la Virgen de Guadalupe, banderola que le había sido entregada por parte del rey de España. Ya durante la batalla, el galeón del joven almirante fue separado del resto de la flotilla cristiana. Se dice que, en ese momento crucial, Doria se arrodilló frente al estandarte de la Virgen y se puso a rezar para que la Virgen lo salvara de una muerte segura. Al caer la noche y de una manera indescriptible, la Liga Santa, el ejército cristiano, comienza a ganar la Batalla de Lepanto.

—¿Lepanto? ¿De ahí salió lo del manco de Lepanto, el apodo de Miguel de Cervantes Saavedra?

El profesor la volteó a ver con una sonrisa en el rostro.

—Así es, Miguel de Cervantes Saavedra fue uno de los soldados que voluntariamente participó en esta batalla. Él se embarcó en la galera *Marquesa*. Era una de las seis galeazas pesadas que llevaba cincuenta cañones y quinientos arcabuceros. Estos seis buques eran los que iban al frente de la flotilla y se enfrentaron en la primera embestida en contra de los otomanos. Fue una batalla muy sangrienta donde fallecieron más de cincuenta mil hombres, de ambos lados. El gran escritor recibió dos arcabuzazos en el pecho y uno en la mano izquierda, de ahí procede el apodo del «manco de Lepanto», y realmente no perdió la mano, le quedó tullida cuando un pedazo de plomo le destruyó los nervios en la muñeca. Pasó seis meses en el hospital, antes de reanudar su vida de soldado. De la Batalla de Lepanto tomó la inspiración para escribir su famosa novela, *El ingenioso hidalgo Don Quijote de la Mancha*.

—Pero al final de cuentas, ¿quién ganó la Batalla de Lepanto?

—La Armada Santa hundió cerca de doscientas galeras otomanas, mientras que ellos solo perdieron trece barcos. Esta victoria reforzó la hegemonía cristiana en todo el Mediterráneo y en la mayor parte de Europa, pero principalmente detuvo la expansión del islam a otros países. En pocas palabras, fue la mayor victoria de la cristiandad contra los musulmanes y además fue la última batalla naval disputada con barcos propulsados a remo. Realmente no hay una explicación, desde el punto de vista estratégico y militar, de que la armada cristiana haya derrotado al ejército otomano en la Batalla de Lepanto. Por eso el santo padre San Pio V comentó que se ganó la guerra gracias a la Virgen santísima.

De El Paseo de la Reforma, Elías viró hacia la izquierda en la avenida Grutas, calle que corre paralela con el Lago de Chapultepec.

—¿Y cuáles eran esos códices o mensajes escondidos en la tilma? —preguntó la doctora, mientras Elías se estacionaba en la rampa de acceso al Castillo de Chapultepec. En eso sonó un *ping* en el celular. La doctora levantó el móvil y leyó el mensaje: *Hola Pao, estoy de guardia en el edificio de Gobierno, podría pasar por Chapultepec a las 6 am.*

—Bueno, vamos a tener un par de horas para echar una siestecita en el auto —comentó Elías, mientras reclinaba un poco su asiento.

—Ahora que tenemos tiempo, dime ¿cuáles eran esos mensajes escondidos en la tilma?

El profesor dio un largo suspiro, como si se preparara para exponer una de sus cátedras habituales en la universidad. Se acomodó en su asiento, e inició la explicación:

—Vamos a comenzar con que es un pedazo de tela, la tilma es extraída del agave o maguey. En ese tiempo, solo los indios con alguna jerarquía usaban telas de algodón, el resto de la gente común, como en este caso Juan Diego, usaba de fibras del maguey. Él traía este pedazo de tela para protegerse un poco del frío invierno en la Ciudad de México. Este consta de dos piezas unidas por un hilo de algodón. Y aquí es donde comienza lo increíble, lo maravilloso de la tilma —el claro de luna comenzó a asomar sobre el Castillo de Chapultepec. Elías volteó a ver el hermoso paisaje—. En dos días tendremos el cuarto menguante que marcaba el carrillón —comentó, interrumpiendo su explicación.

—¿Cuál es el significado de eso? ¿Del cuarto menguante?

—Esa es la fase de la luna en la cual está parada la Virgen —respondió Elías—. Pero deja continúo con los mensajes de la manta —una vez más, volteó a ver a Paola y continuó—: La imagen no fue pintada, los colores están impregnados en el paño. Un lienzo de un cuadro se tiene que preparar y solo se ve un solo lado. En esta tilma sagrada, la imagen se ve tan clara al reverso como de frente —mientras más comentaba, más se emocionaba en su hablar—. Estamos hablando de un pedazo de tela que lleva casi quinientos años y no hay explicación de cómo no se ha podrido. Especialmente porque durante sus primeros ciento dieciséis años estuvo desprovista de toda protección. Pese a los embates del tiempo y de los innumerables fieles que tocaron la imagen, la podían besar, soportó el humo de miles y miles de cirios y veladoras las veinticuatro horas del día, repele el polvo, además, increíblemente la polilla no se acerca a la manta, por eso se dice que las polillas huyen de la luz. Dos fibras del ayate, una de color rojo y otra de color amarillo, fueron enviadas a Alemania al doctor Richard Kuhn, director del Departamento de Química de la Universidad de Heidelberg y Premio Nobel de Química en 1938. Esto, con el objeto de que analizara y que determinara la naturaleza de la pigmentación de estas fibras. Al final, su dictamen fue que los pigmentos en ambas fibras no eran de origen vegetal, ni mineral, ni de origen sintético y mucho menos animal. El Premio Nobel de Química no fue capaz de determinar de dónde procede esta pintura. O sea, que no se conocen pigmentos con estas propiedades en este mundo.

Afuera las calles estaban vacías, la enorme metrópoli estaba paralizada en la oscuridad de la noche. Elías continuó con su monólogo, ella lo escuchaba pacientemente.

—Parece como si la tilma fuera indestructible. En 1795 a un trabajador se le cayó un bote de ácido nítrico sobre la tela. Este ácido es sumamente corrosivo, hubiera sido suficiente para destrozar todo el lienzo, pero no fue así. Solo dejó una marca café, como óxido, en la esquina izquierda. Como si esto fuera poco, en 1921 sufrió un atentado con un cartucho de dinamita, que alguien colocó en un ramo de flores justo debajo del manto sagrado. La dinamita explotó, destruyendo todo a su alrededor, pero ni a la tilma ni al cristal donde estaba le pasó nada.

—¿Y no hay explicación científica sobre esto?

—¿Qué explicación se puede dar? El altar quedó completamente destruido, un crucifijo de bronce quedó completamente doblado. Y a la tilma no le pasó absolutamente nada.

Paola estaba anonadada, escuchando atentamente al profesor.

—Los estudios de la tilma continuaron más a profundidad. Un 7 de mayo de 1976, los catedráticos estadounidenses Jody Brant Smith, profesor de filosofía y religión de la Universidad de Pensacola en Florida, y Philip Serna Callahan, biofísico y entomólogo, tuvieron acceso a la bóveda de la Virgen para fotografiar detalladamente con luz ultravioleta e infrarroja a la imagen y descubrieron que esta había sido retocada. En ciertos lugares encontraron parches o añadidos, esto me imagino que por ignorancia de los hombres en el siglo XV o XVI, quienes hicieron ciertos retoques mucho tiempo después de que se formó el original.

—¿Cuáles fueron los detalles que fueron retocados?

—Los rayos solares, las estrellas, la luna, el moño en la cintura, el ángel. Pero lo más alterado, según el estudio de Smith y Callahan, fueron las manos. Por alguna extraña razón, la persona que modificó la tilma hizo las manos más pequeñas. Especialmente en los dedos de la mano izquierda, originalmente eran doce milímetros más largos. Esto es algo que a simple vista no se puede ver, pero con los rayos infrarrojos ellos lo pudieron captar —Elías mostraba esa concentración que siempre tenía durante sus diálogos en la universidad—. Los investigadores americanos además mostraron cómo la imagen cambiaba ligeramente de color según el ángulo de visión, un fenómeno que se conoce como iridiscencia; esta es una técnica imposible de producir con manos humanas. Callahan y Smith, conscientes de la trascendencia de sus descubrimientos, cedieron todos los derechos de sus investigaciones y escritos al obispo de México, el cardenal Ernesto Corripio Ahumada.

—Entonces el significado de la manta ya no puede ser el mismo, porque fue alterada.

—No necesariamente. Por ejemplo, las estrellas, fueron retocadas, mas no alteradas —explicó con un tono pausado y tranquilo—. El 12 de diciembre de 1531 tuvo lugar el solsticio de invierno, lo cual para la cultura azteca tenía una gran importancia: el sol moribundo que volvía a renacer era el retorno de la vida. Para los mexicas, el solsticio de invierno era el día más importante en su almanaque, era el día en que el sol vence a las tinieblas y surge glorioso. Por eso las estrellas en la túnica de la Virgen no pueden ser mera casualidad, pues representan con exactitud las constelaciones de estrellas sobre México en ese momento. Pero aquí está lo interesante, se ve cómo si alguien lo estuviera viendo, situado en el confín del universo. En 1995, el doctor Juan Homero Hernández Illescas realizó un estudio paleoastronómico de las estrellas en el manto, con el cual comprobó que, en el lado izquierdo del manto sagrado, se encuentran las constelaciones del sur, se observa Libra, la constelación de Ofiuco, la Cruz del Sur y ligeramente inclinada la constelación de Centauro. En la parte derecha de la Virgen, se ven las constelaciones del norte, incluyendo la Osa Mayor, Tauro, en el hombro está la constelación de Boyero. En pocas palabras, el significado de esto sería que la Virgen de Guadalupe aparece magistral en el firmamento cubriendo y protegiendo con su manto celestial a todo el mundo.

—Los detalles en los ojos, ¿también fueron retocados? —preguntó Paola, adelantándose a la explicación del profesor.

—Afortunadamente, los ojos no fueron retocados y aquí es donde tenemos otro de esos fenómenos inexplicables de la tilma —afirmó Elías, acomodándose en el asiento—. En 1929, el fotógrafo oficial de la basílica, Alfonso Marcué, descubrió lo que parecía ser una silueta de un hombre con barba reflejada en el ojo derecho de la Virgen. Decidió informar a los sacerdotes de la iglesia, quienes le ordenaron completa reserva sobre este descubrimiento. Los eclesiásticos no sabían cómo explicar la presencia de un hombre con barba dentro de los ojos de la Virgen de Guadalupe, así que lo callaron por más de veinticinco años.

—El típico silencio de la Iglesia —refutó Paola.

—Sí y no, recuerda que, en esa época, la Iglesia tenía muchas broncas con el Gobierno y lo menos que querían era hacerse propaganda. Desde entonces, el misterio de las pupilas de la Virgen interrogó a la Iglesia.

—¿Y qué más descubrieron en los ojos de la Virgen?

—En 1956, el oftalmólogo mexicano Javier Torroella-Bueno emitió el primer reporte médico sobre los ojos de la imagen, certificando la presencia del triple reflejo.

—El llamado efecto de Purkinje-Sanson. Las tres imágenes que se visualizan en el ojo del objeto que estás viendo —respondió la doctora.

—Exactamente. En 1974, otro oftalmólogo, el doctor Enrique Graue, rector de la UNAM en esos momentos, luego de examinar la tela, comentó: «Al proyectar un haz de luz sobre el ojo, el iris brilla más que el resto, no así la pupila, lo que da una sensación de profundidad, pareciendo además como si el iris fuese a contraerse de un momento a otro, como el de una persona viva», lo cual es absolutamente imposible en una pintura o en una imagen.

—Todo esto es impresionante.

—Sí es sorprendente, incluso el doctor Graue cuando estaba usando el oftalmoscopio, inconscientemente, comentó en voz alta, dirigiéndose a la imagen: *Por favor, mire un poquito más arriba.*

—Por eso dicen que los ojos de la Virgen tienen vida.

—Por eso y mucho más. En 1979, el ingeniero peruano José Aste Tonsmann, graduado de la Universidad de Cornell en ingeniería en sistemas de computación y maestro en México en la Universidad Iberoamericana, hizo una digitalización de los ojos de la Virgen, utilizando un programa especial en su computadora y un microdensitómetro. Logró filtrar y limpiar las imágenes mientras las ampliaba 2500 veces y logró distinguir trece figuras humanas, tanto en el ojo derecho como en el izquierdo. Estamos hablando de imágenes casi microscópicas, en un milímetro cuadrado, hizo 1600 cuadrículas de 15 × 15 micrones y captó 200 tonos de gris a diferencia de los treinta tonos de gris que es capaz de captar el ojo humano.

Paola estaba fascinada con la conversación y con la hermosa vista del lago y el Castillo de Chapultepec.

—¿Y de alguna manera comprobaron de quiénes eran las siluetas?

—Precisamente con el *Nicān Mopōhua*, esa es la constancia histórica del momento que Juan Diego le muestra la imagen al obispo fray Juan de Zumárraga. Las trece siluetas son del obispo; un joven traductor; una mujer negra, lo más probable una esclava; un español con barba; un indígena con una tilma, que debería de ser Juan Diego; dos adultos más y una familia indígena con padre, madre y tres hijos.

—¿Cómo sabían que era la esclava del sacerdote?

—Porque en el archivo de Indias se conserva el acta de embarque del obispo cuando navegó al Nuevo Mundo, junto a María, su esclava negra. Se supo que Zumárraga estipuló en su testamento que María quedaría en libertad tras su muerte.

—Bueno, por lo menos la dejó en libertad —comentó sarcásticamente la doctora—. Pero las imágenes en los ojos, ¿podrían haber sido una pareidolia? Que se están imaginando lo que quieren ver.

—Si estas imágenes estuvieran en un solo ojo, te diría que sí. Pero estas imágenes aparecen en los dos ojos siguiendo la perspectiva que el ojo izquierdo está ligeramente más adelante que el derecho.

—Lo que comentabas hace rato del efecto de Purkinje-Sanson —aseveró Paola, recostándose de su asiento—. Lo sorprendente es el mensaje que manda la Virgen.

—¿A qué te refieres con el mensaje? —preguntó Elías, cerrando los ojos.

—Que ante sus ojos todos somos iguales. Sin importar raza, sexo o clase social, todos somos iguales —y sin decir más, se quedaron dormidos.

CAPÍTULO 21

T – Menos 14 horas

Justo a las seis de la mañana, con el panorama matizado de un rojo oscuro y el sol emergiendo por el este, todos los vidrios de la camioneta de Paola estaban empañados por la condensación de la respiración de ambos. De repente, alguien tocó la ventana. Los ojos de la doctora tardaron un poco para ajustarse a la luz, distinguiendo a un viejo del otro lado del cristal. A lo lejos se podía escuchar algún campanario entonando el Himno Nacional Mexicano.

—Es mi tío Juan —le dijo Paola al profesor, que abría los ojos, arreglando su asiento para colocarse más vertical.

El haberse dormido sobre el brazo derecho había hecho que se le durmiera, por lo que al despertar comenzó a sacudir la mano sin cesar.

A pesar de sus sesenta y tantos años, el tío Juan era un hombre corpulento, de espaldas anchas y bíceps redondos, con arrugas faciales bien marcadas en el rostro y en el cuello.

—Pensaba que era una broma, pero aquí estás. Ayer estuvimos cerrados por la contención del Popo, pero hoy volvieron a abrir al público.

Al bajarse Paola del auto, tomó diez minutos para explicarle la situación a su tío.

—¡Absolutamente no, imposible! ¿Que quieres que pierda mi trabajo de treinta años? ¿Qué te pasa, estás loca? —respondió el tío, furibundo.

—Don Juan —intercedió Elías—. Es la única manera que tenemos de recuperar la imagen de la Virgen de Guadalupe.

—Pues no, repórtenlo a las autoridades, al ejército. Pero no cuenten conmigo. ¿Te imaginas si algo le pasa a la pintura? ¿Cómo voy a quedar yo? —se sentó en la banqueta, y retomó su discurso—: Claro, por supuesto, Juan Zepeda. El único güey que era parte en la seguridad del Museo Nacional de Antropología durante del robo del siglo en el 85 y ahora esto. No, ni madres.

—¿El robo del siglo? —interrogó el profesor.

—Muchos no se acuerdan, porque pasó justo antes del Mundial de Fútbol del 86. Yo acababa de comenzar como guardia de seguridad en el Museo Nacional de Antropología, y como era costumbre, a los más novatos nos tocó la custodia del día de Navidad. El 25 de diciembre de 1985, ¿cómo se me va a poder olvidar?

—¿Qué fue lo que pasó, tío?

—Dos estudiantes de veterinaria de la UNAM, Carlos Pacheco y Ramón Sánchez, nos robaron más de ciento cuarenta joyas arqueológicas, cuyo valor era incalculable. Planearon el asalto durante meses, visitaron el museo más de cincuenta veces para observar el cambio de guardias, analizar las estructuras y principalmente identificar los artículos más valiosos del museo.

—Recuerdo vagamente el suceso —comentó Elías—. Fue justo después del terremoto del 85, ¿verdad?

—Así es, tres meses después de que el terremoto sacudiera la ciudad, causara miles de muertes y cambiara para siempre el rostro de Ciudad de México. Era la madrugada de la Nochebuena, ninguno de los nueve vigilantes que estábamos en ese turno nos dimos cuenta de que estos dos jóvenes se habían saltado la barda metálica del museo de dos metros de altura, ubicada en El Paseo de la Reforma, donde no había tanta iluminación. Cruzaron el jardín. Después ingresaron por una escalera que los condujo a la planta baja, ahí tuvieron acceso a los ductos del aire acondicionado, y por ahí ingresaron al interior del museo, más específicamente a las salas Maya, Mexica y Monte Albán, Oaxaca —el tío Juan respiró profundamente con un recuerdo de los sucesos que aún le dolía—. Sabían muy bien que cada dos horas los nueve guardias nos dividíamos quince mil metros cuadrados para recorrer las veintiséis salas del museo. Les tomó tres horas, de la una de la mañana a las cuatro, para llevarse todas esas piezas. Tuvieron el tiempo suficiente para desmantelar las vitrinas. Como la mayoría de las piezas eran pequeñas, fueron empacadas en maletas de lona.

—Pero ¿cómo es posible que los ladrones estuvieron tres horas adentro? ¿Traían las herramientas para desmantelar las vitrinas y nadie los vio? —cuestionó Elías.

—Era Nochebuena, varios de nosotros estábamos celebrando. Yo incluso hasta me quedé dormido de guardia. Por eso nunca nos dimos cuenta. A las ocho de la mañana reportamos el robo. La Procuraduría General de la República lo primero que hizo fue arrestarnos a todos nosotros, pensando que estábamos involucrados en el asalto. Una semana después nos dejaron en libertad, cuando se dieron cuenta de que no teníamos nada que ver con el robo.

—Tío, ¿cuáles fueron las piezas que se robaron?

—Las más valiosas fueron las de la sala Maya, las que provenían del cenote sagrado de Chichén Itzá, las ofrendas de la tumba de Palenque, la máscara zapoteca del dios murciélago, una máscara de jade con incrustaciones de concha de los aztecas y muchas pulseras y cadenas de oro.

—¿Y qué pasó después? ¿Los capturaron? —preguntó Paola, con una expresión de asombro por la historia de su tío.

—Los muy descarados huyeron en un Volkswagen, recorrieron todo Reforma y dejaron todos los artículos en casa de los padres de Pacheco en Ciudad Satélite. Después del robo se fueron a Acapulco, ahí se dieron la gran vida, fiestas, drogas, mujeres —hizo una breve pausa, y aclaró—: Nunca los hubieran detenido si no es por su adicción a la cocaína.

—¿Y eso?

—Pacheco y Sánchez, como no podían vender las piezas del museo, comenzaron a intercambiarlas por cocaína. Uno de estos narcos fue detenido y para evitar una sentencia mayor soltó la sopa con los federales —volteó a ver a Paola y después al profesor—. Cuatro años después del robo, la policía arrestó a Carlos Pacheco. En el closet de su casa encontraron un bolso de lona con más de cien objetos robados.

—¿Y qué pasó con el otro estudiante?

—Al otro jamás lo encontraron. Sigue estando en la lista de los más buscados de México.

Elías se quedó pensativo por un segundo antes de cuestionar:

—Pero ¿el seguro cubrió los gastos de los objetos que no encontraron?

—No, nada estaba asegurado. Es más, el museo no contaba con un inventario exacto. El gobierno del entonces presidente Miguel de la Madrid destinó setecientos millones de pesos para la seguridad de los museos. Ahí fue cuando se instalaron las alarmas electrónicas contra robo, se colocó un nuevo sistema de cámaras de seguridad y se rehabilitó todo el sistema de detección de incendios.

—Y ¿qué pasó contigo y con los otros guardias de seguridad?

—Nos despidieron a todos los que estábamos de guardia esa noche. Me tomó cuatro años para volver a trabajar en otra empresa de seguridad.

—Tío, por favor necesitamos tu ayuda —imploró Paola.

—¿Qué es exactamente lo que necesitan?

Los aztecas consideraban Chapultepec como un lugar sagrado debido a los manantiales que surtían de agua a los pobladores de Tenochtitlan, porque el agua del lago Texcoco, que envolvía a la ciudad y al islote, era salada y no servía para el consumo humano. Estas fuentes de agua eran tan importantes para los aztecas que, durante la conquista española, Hernán Cortés interrumpió el flujo del canal; la falta de agua potable favoreció a la derrota de Tenochtitlan.

El Museo Nacional de Historia está situado justo en la cima del Cerro del Chapulín a una altura de 2325 metros sobre el nivel del mar. Fue construido en 1787, diseñado como casa de descanso del virrey Bernardo de Gálvez, y con el tiempo pasó a ser colegio militar, la residencia oficial de Maximiliano de Habsburgo y su esposa, la emperatriz Carlota. Durante el porfiriato, se convirtió en el primer observatorio astronómico de la nación. Sería hasta 1938 cuando el general Lázaro Cárdenas decretó que se convirtiera en sede del Museo Nacional de Historia, inaugurándose en septiembre de 1944.

—En 2019, tanto el Museo de Antropología como el Museo de Historia renovaron por completo su sistema seguridad —comentó el tío Juan—. Ambos museos tienen ahora una red de videovigilancia en tiempo real. Todos los videos son archivados por un tiempo en unos discos duros de almacenamiento para su revisión en caso de ser necesario.

—Tiene sentido —dijo Elías, mientras se estiraba afuera del auto—. Con el gran valor de sus colecciones y con tanta gente que recibe anualmente.

—Después del robo del 85, han cambiado muchas veces los sistemas de seguridad y el que tienen ahora es realmente lo mejor de lo mejor —expresó el tío Juan, volteando a ver una de las cámaras afuera del castillo de Chapultepec—. Esa es una de las 273 cámaras que tiene el museo, la mayoría son de alta definición 4K, algunas incluso tienen una capacidad de cobertura de 360 grados para poder identificar rostros de personas.

—Debe de haber alguna manera de poder mover solo unos centímetros la pintura de sor Juana, para ver si hay algo detrás de la misma —dijo Paola.

—Esto será algo que definitivamente estará en mis memorias —dijo pausadamente Juan—. Lo tendrían que hacer en menos de cinco segundos. Por obvias razones yo no puedo estar con ustedes, pero esto les ayudará —sacó un bolígrafo de la bolsa de su camisa y se lo entregó a Elías.

El Museo Nacional de Historia cuenta con 93 mil metros cuadrados de superficie; doce salas de exhibiciones permanentes y veinticuatro salas destinadas a recreaciones históricas. Una de ellas muestra el mobiliario y objetos conservados desde la época del emperador Maximiliano I hasta la época del general Porfirio Díaz. Estas salas están ubicadas en el antiguo Colegio Militar, donde se exhiben objetos, cuadros e imágenes que relatan desde la conquista a partir de 1521 hasta llegar al siglo XX. Ahí, en la sala 4, una de las habitaciones correspondiente al Reino de la Nueva España es donde está la pintura al óleo de Miguel Cabrera, quien pintó el retrato más popular de Juana Inés de Asbaje Ramírez de Santillana, mejor conocida como sor Juana Inés de la Cruz.

Los jardines del Castillo de Chapultepec estuvieron catalogados entre los parques más hermosos del mundo. Todo comenzó bajo la dirección del general Porfirio Díaz, que tenía una afinidad muy especial con la floricultura, por eso hasta el día de hoy están perfectamente podados, plantas de diferentes colores, sobresaliendo el verde, blanco y rojo. Los jardines han sido mantenidos impecables gracias al arquitecto Saúl Alcántara, que conservó a imagen y semejanza de aquellos proyectos a principios del siglo XIX.

Los alrededores de los jardines en la segunda planta están revestidos de mármol blanco y negro. Sin embargo, estos jardines y el bosque han ido evolucionando a través del tiempo por transformaciones políticas, económicas, sociales y culturales, pero la estructura sobria y contundente del único castillo real del continente se mantiene firme y portentosa con sus grandes columnas de piedra sólida gris con un estilo barroco, las cuales dan un aspecto burdo debido a su gran grosor.

Este lugar, que fue descubierto por los aztecas, desarrollado por los españoles, reconstruido y rediseñado por los franceses y asumido por los mexicanos, se ha convertido en una de las atracciones más populares para los turistas que visitan la Ciudad de México.

Sus enormes vitrales de lado a lado del corredor fueron mandados a construir por Porfirio Díaz en 1900, y representan cinco diosas de la mitología griega. De izquierda a derecha: Pomona, diosa de las cosechas. Flora, diosa de las flores. Hebe, diosa del néctar que proporciona vida eterna. Diana, la diosa de la fertilidad, y Ceres, la diosa de la agricultura.

Al abrir el museo, la doctora y el profesor entraron como cualquier otra pareja de turistas para disfrutar de las exhibiciones, simulando tomar fotos con el celular.

Muy raro era el sentir de Paola, una palpitación que se entremezclaba entre un éxtasis emocional y un dolor de estómago, especialmente porque nunca se imaginó estar en esta situación.

—Ahí tenemos la llegada de la Virgen a México —le comentó Elías, al pasar por la primera parte de la exhibición del museo.

—¿Cómo que la llegada de la Virgen? —respondió Paola.

—Cortés nació en Extremadura, España. Misma ciudad donde está el santuario de la Virgen de Guadalupe.

—¿La Virgen de Guadalupe? Pero no se le había aparecido a Juan Diego todavía.

—¿Ves el estandarte? —le dijo Elías, apuntando hacia el estandarte colorado con la imagen de una virgen en el centro—. La Virgen de Extremadura es una virgen de facciones negras, que según cuenta la leyenda fue tallada en el siglo I por el mismo San Lucas el Evangelista en Palestina. Después el papa Gregorio Magno le regaló la escultura a una iglesia en Sevilla, España. Durante la invasión musulmana, los cristianos mandaron a guardar a la Virgen en una caja y la escondieron cerca del río Guadalupe. Ocho siglos después, la Virgen se le apareció a un granjero de la zona y le dijo dónde estaba escondida la estatua tallada en cedro. Ahí mismo se le hizo su ermita.

—Muy parecida a la historia de Juan Diego y la Virgen de Guadalupe.

—Así es, ese fue el estandarte que trajo Cortés. Una Virgen que porta una corona de oro con doce estrellas, con las manos juntas como si estuviera rezando y destellos del sol detrás de ella. Los mismos elementos iconográficos de nuestra Virgen Morena.

Los dos se quedaron un rato contemplando la primera parte de la exhibición del hermoso museo de Chapultepec.

—Lo curioso es que Cortés salió de España a los diecinueve años. Estuvo siete años en La Española y ocho en Cuba, donde llegó a ser el alcalde de Santiago de Cuba. Fue hasta que tuvo treinta y tres años que se embarcó hacia México. Primero reclutó a seiscientos hombres, desobedeciendo las órdenes del gobernador. A sus soldados les prometió una quinta parte de todo lo que se robaran del Imperio Azteca, que, en ese entonces, era el imperio más poderoso del continente. Y así, en 1519 Hernán Cortés llegó con ese estandarte al continente americano.

—Pero ¿por qué dices que es curioso?

—Como él conocía muy bien a los nativos de Cuba y de La Española, decidió viajar con doce franciscanos, simulando a los doce apóstoles en la última cena de Jesús. Para los españoles de esa época no había tolerancia a ninguna otra religión. Era un producto ideológico de los Reyes Católicos Fernando e Isabel, y esa misión recayó en Cortés y en todos los españoles que viajaban a la Nueva España. Incluso cuando España logró retomar la península ibérica de los musulmanes, también expulsaron a los judíos. La monarquía se hizo portavoz de la religión. O eras católico o no existías.

Paola se quedó pensativa por un par de segundos.

—Entonces ¿de ahí viene la Inquisición?

—Exactamente, en 1478 el papa Sixto IV expidió junto a los Reyes Católicos la llamada Inquisición para tratar de mantener la ortodoxia católica en el reino. Castigando, torturando y quemando en la hoguera a los conversos que practicaran, según ellos, la herejía, la cual incluía a todos los judíos. Por eso Hernán Cortés se embarcó con doce franciscanos, porque era muy importante convertir a los pueblos conquistados en católicos lo más rápido posible.

Tras caminar por la exhibición de los Reyes Católicos, pasaron junto al salón de los Gobelinos, que, por un tiempo, fue el recinto principal de la corte de Maximiliano y Carlota. Más al fondo del pasillo se podían divisar dos grandes óleos de Napoleón III y Eugenia, su esposa. Elías señaló con la mano para que Paola fingiera tomar fotografías.

En el sótano del Castillo estaba el centro de control y monitoreo. Juan aprovechó su posición para ir a saludar a su amigo Víctor, a quien le tocaba estar de guardia. Al entrar al pequeño cuarto, Juan miró de reojo hacia los monitores, empotrados en la pared, los cuales a su vez estaban conectados a una macrocomputadora, que tenía el programa llamado Video Insight Software Suite para la operación y configuración de las cámaras. Las imágenes captadas por las 273 cámaras de video eran transmitidas a los ocho monitores LED TH-49 de 49 pulgadas alojados en sus respectivos armazones, incrustados en la pared. Cada monitor podía visualizar hasta 64 cámaras, que estaban en constante rotación para poder tener acceso a todas ellas.

Todas las pantallas estaban prendidas, mostrando a los turistas dentro y fuera del Castillo de Chapultepec. El tío Juan observó las pantallas, mientras platicaba con su compañero.

En el monitor de abajo a la izquierda, localizó a Elías y Paola, que caminaban por el gran salón de don Porfirio Díaz. Las paredes estaban cubiertas por piel cincelada y policromada, sin lugar a duda un excelente trabajo de marroquineros mexicanos a principios de siglo. La habitación se embelleció con el exquisito gusto que tenía la tamaulipeca Carmen Romero Rubio, quien fuera la segunda esposa del general Díaz, que no se deshizo de las cinco mil piezas de plata fina de la casa Christole en París que Maximiliano había mandado hacer para Carlota, a pesar de que muchas de ellas tenían las iniciales M/C.

—¿Sabías que Porfirio Díaz estuvo casado con su sobrina? —le dijo Elías, con una leve sonrisa.

—¿Por qué te ríes? Eso es incesto —dijo Paola, sorprendida.

—Me río porque don Porfirio, ahí como lo ves, era un viejito valiente, pero muy enamorado.

—¿De verdad? ¿Se casó con su sobrina?

—Don Porfirio se casó dos veces. Su primera esposa fue Delfina Ortega Díaz, que era la hija de Victoria Díaz, hermana del general.

—No puede ser. ¿Y en ese entonces no había reglas en contra del incesto?

—Don Porfirio era 15 años mayor que Delfina. Cuando se casaron fue solo por la rama civil, no la religiosa. Además, el general tuvo que pagar una multa por lo que llaman *dispensa de sangre* o consanguinidad —comentó Elías, mientras admiraba el cuadro del general en la sala del Castillo de Chapultepec.

—Pero me imagino que no pudieron tener hijos.

—No, sí tuvieron, y tuvieron ocho hijos, pero solo dos alcanzaron la edad adulta. Los otros seis fallecieron durante el parto o nacían muertos. Incluso Delfina falleció dando a luz a su octavo hijo.

—Increíble, no sabía esa historia de don Porfirio Díaz —Paola vio la cara de Elías, que esbozó otra sonrisa—. ¿Y ahora qué te causa risa?

Elías apuntó el cuadro de Carmen Romero Rubio, la segunda esposa del entonces presidente de México.

—Porque su segunda esposa tenía solo 17 años y él 51 cuando se casaron. Por eso te digo que el viejito era de armas tomar en la batalla y en la recámara.

Al decir esto, la cámara de video empotrada en el techo observó cómo Elías le señaló algo a Paola para que tomara una fotografía de la enorme lámpara en el salón de don Porfirio.

La imagen aparecía en el segundo monitor inferior izquierdo en el cuarto de control. Estaban viendo un candelabro de veintinueve luces de origen francés construido de bronce y cristal. En las esquinas del cuarto, un par de ánforas de porcelana de Sèvres con imágenes de mujeres en túnicas. La siguiente sala era la número cuatro, la sala de la Décima Musa.

Entraron en la sala 4 y Elías y Paola se detuvieron enfrente del cuadro de sor Juana Inés de la Cruz. Una hermosa pieza de 2,07 × 1,48 pintada en 1750 por el pintor novohispano Miguel Cabrera, uno de los máximos exponentes de la pintura barroca durante el virreinato, que pintó a la Décima Musa copiando sus facciones de otro cuadro, ya que la monja falleció cincuenta y cinco años antes de la creación de este óleo, en 1695, justo el año en el que el artista nació.

—La pintura de sor Juana nos muestra a la musa sentada en su escritorio con una de sus manos en un libro abierto y la otra en su rosario. Fue una manera subliminal, en la que Miguel Cabrera muestra el compromiso que la reverenda tenía, tanto con el aprendizaje, como con la religión.

Elías tomó el bolígrafo que le había dado el tío Juan y lo guardó en el bolso de Paola.

—Cinco segundos —le dijo al oído—. Si no hay nada... perderemos la tilma de la Virgen.

—Cinco segundos —respondió Paola.

—Nada más que no te tiemble el pulso —una sonrisa se dibujó en el rostro del profesor.

—Solo me va a temblar cuando te tenga en el quirófano —indicó la doctora.

Elías se acercó a la pared donde estaba el cuadro y se agachó para abrocharse el zapato. Paola echó mano a su bolsa y sacó el bolígrafo y lo prendió de un costado. Era un puntero láser verde de 250 milivatios, capaz de reventar globos o encender cerillos, que el tío Juan usaba para hacer señalamientos durante sus inspecciones de seguridad en grandes edificios. Paola lo prendió y contaba sabiendo que las cámaras solo tienen video, no audio.

—Tres... dos... uno.

Levantó el puntero láser y lo apuntó directamente al lente de la cámara de domo Panasonic WV-S2131L, que estaba empotrada en el techo del museo.

La imagen del tercer monitor en la pared se tornó completamente verde, un haz de luz esmeralda brilló en un pequeño recuadro del monitor de 49 pulgadas.

—Qué onda, Víctor, este fin de semana sí tienes que venir a jugar fútbol con nosotros —le dijo Juan al guardia de seguridad en el centro de control.

Víctor giró su silla, estirando los hombros y tronándose la espalda.

—Definitivamente, este fin de semana no fallaré. ¿Contra quién vamos?

Con la mano firme y sin dejar de aluzar la cámara, Paola dio el conteo regresivo.

—Cinco… cuatro… tres…

—Esta semana vamos en contra de los Correcaminos —dijo el tío Juan, emocionado.

Víctor volteó su silla para ver los monitores, pero Juan lo detuvo, agarrando el descansamanos de la silla, y le dijo:

—Güey, si ganamos avanzamos a la final. Así que pilas, nada de andar de pedo el viernes.

—Sí, güey, ya te dije que ahí estaré —le respondió rápido, volteando su silla para atender los monitores.

Todas las pantallas estaban en orden. En el tercer monitor se veía una pareja que se alejaba de la sala 4.

—Lo tengo —dijo Elías, mientras se sacaba la mano de la camisa.

—¿Qué es?

—Sí, déjame lo saco aquí y lo revisamos —respondió sarcásticamente.

—¡No, menso! —le refutó inmediatamente—. ¿Es el *Nicān Mopōhua*?

—No sé —declaró Elías.

Caminaban por el Salón de Música, pintado en dorado y tapizado en rojo, el color de tela imperial que cubría todas las paredes del salón. En una de las esquinas del Salón de Música había una estatua de un águila bicéfala con la leyenda «Equidad en la Justicia», estatua que le regaló Napoleón III a Maximiliano y Carlota como regalo de bodas. Irónicamente, una de las cabezas estaba viendo hacia la salida del Castillo hacia donde se dirigía Elías y Paola, mientras que la otra cabeza vigilaba hacia la sala 4 donde estaba el óleo de sor Juana Inés de la Cruz.

CAPÍTULO 22

T – menos 12 horas

El cabo se detuvo por un segundo antes de entrar en la oficina del general, tomó aliento, se ajustó el uniforme, tocó la puerta y entró.

—General, buenos días, el C5 acaba de localizar el auto de la doctora Zepeda.

—¿Dónde? —preguntó el general, emocionado.

—Afuera del Castillo de Chapultepec —dijo el cabo, con toda la naturalidad como le fue posible—. Ya tenemos un auto que los está siguiendo.

—Primero el Museo de Antropología, después al Zócalo y ahora en el Castillo de Chapultepec. ¿Adónde irán a continuación? A Tenochtitlan —dijo en son de burla el general Baltazar.

—¿Quiere que los detengamos ya?

—No, hay que ver adónde se dirigen. Y si tienen alguna conexión con los ladrones. Algo está muy raro en todo esto —comentó el general, mientras desviaba la mirada.

Luego del cabo ingresó el teniente, con una nota en la mano derecha.

—General, buenos días, tenemos a un tal Moisés Cahuich en la línea. Que tiene información sobre la tilma de Juan Diego.

—¿Cuántas llamadas hemos recibido desde ayer sobre la tilma de Juan Diego? —respondió el general, sin voltearlo a ver.

—Cerca de doscientas, mi general.

—Y todos saben exactamente del paradero de la Virgen de Guadalupe.

—Dice ser el seminarista de la Basílica de Guadalupe. Y que tiene la dirección exacta donde está escondida la tilma de Juan Diego.

—¿El seminarista de la Basílica de Guadalupe? Porque no comienzas con eso. Ponlo en la línea.

Saliendo por la avenida Colegio Militar, la SUV Híbrida roja viró hacia la derecha por la avenida Grutas hacia El Paseo de la Reforma. Paola manejaba mientras Elías sacaba de su camisa una bolsa de plástico transparente con un lienzo adentro de ella.

—¿Qué es, qué es? —preguntó la doctora Zepeda, impacientemente.

—Parece un pergamino o una tela dentro de la bolsa de plástico.

Elías abrió la bolsa de plástico y sacó el pedazo de tela. Un pulso eléctrico le recorrió todo el cuerpo. Vio detenidamente el pergamino, antes de darle un giro completo, mientras movía la cabeza, tratando de figurar cuál era el lado correcto.

—A ver, déjame verlo —le exigió Paola, mientras se detenía en una luz roja.

1929 – XIXXWƆW
Ⅎ∀
Ɐɹ∩SNƎƆ
OIƆIℲℲ∩S
Op∩⊥IꞀԀW∀
S∀⊥IpN∩ƆƎℲNI
ʎ
ƎpIԀƎꞀ
Ɔɹ∩X Ɔɹ∩ƆIS
ɹƎԀWƎS
OƃɹIΛ
ɹOX∩
στοργη – **Caritas**

—Es un pictograma —comentó Elías, examinando el documento, de unos 20 centímetros de ancho por unos 30 centímetros de alto—. Está escrito en latín y unas palabras en griego. Con un completo desorden, los números y las palabras en griego están derechos, mientras que las palabras en latín están al revés.

Paola detuvo el auto en un estacionamiento en la calle para poder observar detenidamente el pergamino.

El auto negro que los venía siguiendo a una distancia prudente para pasar inadvertido se detuvo en un estacionamiento a unos cincuenta metros detrás de ellos.

—Sí, pero un latín confuso, un latín al revés —prosiguió Paola, tomando el manuscrito con una mano mientras hacía anotaciones con la otra.

—Son trece palabras en latín y una en griego —sus ojos repasaban la página observando detenidamente de izquierda a derecha y de arriba abajo. Al terminar con sus observaciones, comentó—: Son treinta y cuatro vocales y cuarenta y un consonantes —volteó a ver al profesor—. Este material es como un lienzo para pintar cuadros. Esta tela fue tratada para sellar todos sus poros, con una brocha o una espátula, antes de escribir todos estos garabatos sobre la misma.

—¿Cómo sabes eso?

—Porque a mi mamá le encantaba la pintura —rápido le respondió Paola—. Este es un bastidor para pintar.

Elías cerró el puño derecho y golpeó la palma de su mano izquierda.

—Sí, pero ¿qué significa todo esto? —con mayor rapidez se golpeó la mano—. ¿Qué pasó entre el año de 1929 y 1935?

Tomó el teléfono y comenzó a buscar los significados de las palabras.

Uxor: esposa o mujer.
Virgo: virgen o mujer joven.
Semper: siempre.
Crux Crucis: cruz.
Lepide: elegante.

Infecunditas: estéril.
Amplitudo: grandeza.
Sufficio: autosuficiente.
Censuro: la censura.

Paola escribió todos los significados en su libreta.

—¿Y lo de abajo en griego y latín?

—Amor cariñoso —respondió el profesor, viendo a Paola a los ojos—. Alguien estaba muy enamorado para dejar este pictograma como una carta romántica.

—No sé si vamos a poder descifrar esto —dijo Paola, con gran decepción en su rostro—. Pero la persona que lo ha escrito sentía un gran amor por su pareja.

—Creo que ya es momento de hablarle al general Baltazar. Y explicarle todo lo que ha pasado —le dijo Elías.

—Nos queda un poco más de once horas para que se venza el plazo —dijo Paola, acomodándose en el asiento del conductor—. Examinémoslo bien —añadió, tomando el pergamino rectangular una vez más, fijando la vista detenidamente, como queriendo hacer que la respuesta saltara a sus ojos. Le dio varias vueltas a la página de arriba abajo y de abajo arriba, tratando de darle algún significado a todos los garabatos—. El significado de las palabras es una cosa, pero yo creo que va mucho más allá de eso —comentó la doctora, que una vez más comenzó a hacer anotaciones en su libreta. Colocó cada palabra en una casilla, agrupadas de modo que formaran tres columnas de cuatro casilleros—. ¿Por qué la tenían que hacer tan difícil? Dos idiomas con números romanos y arábicos.

Elías prestó atención a los recuadros que hacía Paola; escribía las palabras en las columnas y si no tenía sentido, daba vuelta a una nueva página y comenzaba de nuevo en otras pilastras.

—No, creo que esa era la intención de la persona que escondió esto atrás del cuadro de sor Jua…

—¡Frida y Diego! —exclamó frenética, llena de emoción—. Frida y Diego es lo que dice aquí.

Súbitamente todo era más claro y tenía sentido. El esfuerzo de tratar de hacer que las palabras sobresalieran del lienzo dio resultado.

Elías sintió una profunda emoción.

—¿Dónde viste eso? —preguntó Elías, arrebatándole el pedazo de tela de las manos; sus dedos temblaban al tomar el viejo pergamino.

—Es una gematría, la penúltima letra de cada palabra, esa es la clave. Estas palabras fueron escritas y alteradas en este orden. Y si lees solo la penúltima letra de cada palabra, eso es lo que dice: Frida y Diego (Amor cariñoso) —dijo, viendo sus notas.

AMOR CARIÑOSO	FA – F	CENSURA – R
SUFFICIO – I	AMPLITUDO – D	INFECUNDITAS –A
Y	LEPIDE – D	CRUX CRUCIS – I
SEMPER – E	VIRGO – G	UXOR – O

Elías comenzó a analizarlo de la misma manera, tomando en cuenta solo la penúltima letra de cada palabra.

—Frida y Diego. Me carga la que me trajo. Tienes razón —la cabeza le daba vueltas viendo los nombres de una de las parejas más celebradas en todo México—. ¿Cómo lo descifraste tan rápido? ¿No dijiste que estaba muy difícil?

Paola se reclinó pensativa en su asiento.

—Antes de que mi madre falleciera de cáncer pancreático nos propusimos hacer más cosas juntas. En los últimos meses, cuando se le dificultó el caminar, comenzamos a hacer crucigramas, *scrabble* y sudoku —suspiró, viendo sin ver nada en particular por el parabrisas—. Era súper competitiva y por eso me encantan este tipo de juegos de palabras.

Elías la miró fijamente a los ojos. Era como si pudiera adivinar esa expresión de dolor que aún llevaba adentro. El brillo ocular de los ojos cafés claros de Paola mostraba lo que comúnmente dice esa frase burda: que los ojos son la ventana del alma.

Paola sonrió, dándole vuelta a la página en su libreta y volvió a leer el significado de cada palabra en latín.

Uxor: esposa o mujer.
Virgo: virgen o mujer joven.
Semper: siempre.
Crux Crucis: cruz.
Lepide: elegante.
Infecunditas: estéril.
Amplitudo: grandeza.
Sufficio: autosuficiente.
Censuro: la censura.

—Sí, la descripción es perfecta para Frida Kahlo, pero ¡esto significa que este pergamino lo escribió Diego Rivera!

Paola escribió en el celular: *Firma de Diego Rivera.*

—Es la misma letra —dijo, anonadada—. Esto lo escribió Diego Rivera. Pero ¿habrá sido él quien lo escondiera detrás de la pintura?

—Checa en el internet 1929 – 1935 Frida y Diego.

Paola de inmediato lo escribió en el buscador.

—*Epopeya del pueblo mexicano* —dijo Paola, levantando la vista del celular. Cambió la posición de la palanca del auto de P a D, avanzando una vez más por la avenida Reforma. Detrás de ellos el automóvil negro, con ventanas polarizadas, también retomaba su curso por la misma vía.

—Es el enorme mural en el Palacio Nacional —expresó Elías, tomando el celular de la consola y siguió indagando en el internet—. Doscientos setenta metros cuadrados es lo que mide el mural, que ilustra gran parte de la historia de México, desde la época prehispánica hasta 1935, y una predicción de lo que podría ser el futuro del país.

—Pero ¿qué tiene que ver el mural con el *Nicān Mopōhua*?

—Esa es la pregunta del millón. Alguna clave debe tener, lo que sí es verdad es que el tiempo se nos está agotando —expuso

Elías, mientras bajaba la ventanilla para recibir el aire fresco de la ciudad.

Trataba de esclarecer su mente para tratar de hallar una relación entre Diego y Frida con el *Nicān Mopōhua*. Pero nada venía a su mente. Al acomodarse en su asiento, vio por el espejo retrovisor un auto negro que les seguía y cruzaba de línea para colocarse detrás de ellos.

—Sube la ventana, se va a meter la ceniza del volcán —regañó la doctora.

La actividad volcánica del Popocatépetl, aunque había disminuido bastante, mantenía una emisión de humo gris constante que se dispersaba en la atmósfera. Esta lluvia de ceniza ya había afectado bastante todos los ecosistemas cercanos al volcán.

Lograron estacionarse en la calle Pino Suárez, a una cuadra del Palacio Nacional. Antes de bajarse, Elías se volvió a acomodar en su asiento y vio que el automóvil negro con ventanas polarizadas también se estacionó a unos sesenta metros de distancia.

La historia del Palacio Nacional se remonta a la época de Moctezuma, ya que ahí fue donde tenía su palacio el emperador azteca. Después Hernán Cortés mandó a construir ahí su palacio. Después, con el paso de los años, pasó a ser llamado Palacio Imperial por Agustín de Iturbide. En 1824, el Congreso decretó que todos los lugares que tuvieran la designación «Imperial» fueran sustituidos por «Nacional» y por ello el palacio adoptó el nombre que tiene en la actualidad, siendo la sede del poder ejecutivo federal, donde cada 15 de septiembre se realiza la celebración del grito de independencia.

Al entrar al inmenso patio del Palacio Nacional, la doctora y el profesor fueron recibidos por una fuente de bronce, con una estatua de un Pegaso, que simboliza la inteligencia, prudencia y el valor de las personas que ahí trabajan. «Deberían de tener la estatua de un burro», pensó Elías.

Mientras cruzaban el centro del gigantesco claustro, bordeado con pilastras estilo barroco en los tres pisos de este, Paola y

Elías viraron a la izquierda para entrar en el cubo de las escaleras donde está el majestuoso mural de Diego Rivera. Toda una hazaña coronada en el centro por el símbolo patrio, el águila devorando a la serpiente, protagonistas de la historia sobre la fundación de Tenochtitlan. La composición de colores y formas colocan a los espectadores en una visita fugaz al pasado. El México precolombino, la lucha de la conquista, la Guerra de Independencia, la Revolución Mexicana. Todas ellas mezcladas en una amalgama en 270 metros cuadrados de pinturas y matices.

—¿Qué debemos de buscar? —preguntó Paola—. Hay cientos de lecturas, detalles y códices de la pasión e ideología del autor, ¿no crees?

Elías observó detenidamente la majestuosa obra del pintor mexicano. No se podía imaginar en dónde había escondido la clave para dar con el *Nicān Mopōhua*.

—Debemos comenzar por la derecha, por el principio. Por el muro del norte.

La epopeya comenzaba en el descanso de la escalera a la derecha, donde estaba el Tlatoani, que gobierna en este pueblo de maíz, cacao y maguey. Amenazado por el retorno de Quetzalcóatl, con la imagen del quinto sol volteado de cabeza, un volcán escupiendo lava y el retorno de los hombres rubios y barbados.

—La manera en que expresaba sus ideas, a través de la pintura, a veces ofendía a mucha gente.

—Esa fue la razón por la cual Diego Rivera se metió en tremenda bronca con una de las familias más ricas de todo el mundo —le respondió Elías, sin quitar la vista del mural.

—¿Y eso? ¿Se metió con la familia del presidente?

—No, se metió con la familia Rockefeller y no salió nada bien.

Paola lo miró atónita.

—¿Por qué fue? ¿Qué hizo Diego Rivera?

—Tengo entendido que, en 1933, Abby Aldrich Rockefeller, la esposa de John Rockefeller Jr., quien era una de las fundadoras del Museo de Arte Moderno de la Gran Manzana, le encargó un mural para la entrada del edificio RCA en Nueva York —el profesor veía de izquierda a derecha el mural y de arriba abajo, buscando alguna clave mezclada con la pintura—. Rivera diseñó un mural llamado *El hombre en la encrucijada,* que se supone sería una combinación entre el desarrollo científico y el ser humano. Cuando presentó los bocetos originales, le prometió a la señora Rockefeller que esta sería su mejor obra. Lo que no le dijo a nadie fue que cambió el rostro de los bocetos que le presentó a la familia Rockefeller, añadiendo los rostros de los líderes del partido comunista como Lenin, León Trotski y Karl Marx, así como otros símbolos del partido ruso.

—Pues ¿cómo no se iban a enojar? —exclamó Paola—. Así cualquiera se hubiera enojado.

—Cuando la familia Rockefeller se enteró de esto, le pidió al pintor mexicano que hiciera los respectivos cambios de los líderes soviéticos, pero Diego se negó rotundamente. Incluso para acabarla de amolar, puso al mismísimo John D. Rockefeller Jr. bebiendo y socializando en el mural.

—Pero qué bruto.

—Lo que pasa es que Diego y Frida tenían una ideología socialista muy marcada. Pero cuando pintó a Rockefeller bebiendo, esa fue la gota que derramó el vaso. Primero por la prohibición de bebidas alcohólicas de la época y además, como era una familia muy religiosa, se abstenían de beber y fumar. Y para rematar, le pintó unas bacterias de sífilis arriba de su cabeza.

—Y ¿qué fue lo que hizo la familia Rockefeller al respecto? —cuestionó Paola, mientras veía el rostro de Diego Rivera pintado en su propio mural, en medio de otros personajes.

—Lo despidieron y su mural fue destruido.

—Qué lástima que lo destruyeron. Pero entiendo por qué lo hicieron. ¿Me imagino que no le pagaron?

—Diego cobraba por adelantado. Lo hacía para que en caso de que le pasara algo, Frida se quedara con el dinero. Le pagaron 21 500 dólares. Y lo irónico del caso es que cuando regresó a México, pintó el mismo mural en el Palacio de Bellas Artes, al cual le llamó *El hombre controlador del Universo*. Diego Rivera siempre dijo que no había dinero en el mundo que comprara su opinión y convicción.

De la pintura de la derecha se pasaron al centro para observar el muro principal al muro poniente, el más extenso de los tres. Eran cuatrocientos años de la historia de México, pintada en un enorme mural. Desde la caída de Tenochtitlan, la invasión de los españoles, que están dibujados en la parte inferior del mural combatiendo y acribillando sin clemencia encima de sus caballos a los guerreros aztecas que consistían en los caballeros águila y jaguar, haciendo alusión a las violaciones y las torturas de los europeos a los mexicas en la época de la conquista. La evangelización de los indios, pasando por la Independencia de México, con sus principales personajes como Miguel Hidalgo, Ignacio Allende, Josefa Ortiz de Domínguez, José María Morelos y Pavón. Y un poco más a la izquierda el tema de la Revolución Mexicana, predominando más personas siendo torturadas y gente sufriendo ante la sonriente mirada de un fraile grotesco y obeso.

Al pasar al mural de la izquierda, Paola divisó algo que le llamó la atención.

—¡La imagen de la Virgen de Guadalupe!

—Este es el mural de hoy y mañana —comentó una de las personas de limpieza, al escuchar el comentario de Paola.

—¿Qué sabes de este lado del mural? —le preguntó el profesor.

—No, pos nada, solo sé que don Diego Rivera pintaba lo que le convenía, además se equivocó en su predicción.

—¿Cómo que se equivocó?

—Vea, señorita, la representación del futuro según don Diego es que seríamos un país comunista. ¿Ve allá arriba al viejo barbón?

—Karl Marx —interpuso Elías.

—Sí, exactamente ese, bueno pues el viejo barbón.

—Karl Marx —repitió el catedrático.

—Sí, ese, le está señalando a los obreros dónde está la tierra prometida. Pero eso nunca ha sucedido. Ni sucederá. Eso que trae en la mano el viejo barbón —hizo una pausa esperando la corrección que nunca llegó—… bueno, eso que habla de la historia de la lucha de clases es cada vez más marcada entre todos los mexicanos. No era una razón muy convincente la que escucharon, pero al final de cuentas, era la opinión de la clase obrera, la clase trabajadora, la clase que se veía más marginada en el extenso mural. La clase por la cual Diego Rivera velaba en cada una de sus obras, convirtiéndose en el portavoz de la lucha de clases, el artista de los obreros y lo rural. El restaurador de una nación postrevolucionaria, lo cual se apreciaba en las escenas de sus murales, en cada línea y en cada contorno, mostrando una mentalidad comunista, con la cual esperaba tener gran impacto social. El Sapo, como le decía Frida, estaba convencido de que el comunismo era la mejor manera de encausar a un pueblo a su libertad.

—¿Y por qué dices que solo pintaba lo que le convenía? —cuestionó Elías.

El señor de limpieza señaló al mural de la derecha:

—¿Ven algún sacrificio humano? ¿Ven alguna ofrenda que hagan a los dioses aztecas? —volteó a la pintura de la izquierda, señalando al sacerdote que estaba seduciendo a una prostituta, que con sus piernas envolvía la Basílica de Guadalupe, ante la penetrante mirada de la burguesía. Al lado de esta imagen, estaba la Virgen de Guadalupe, con una máquina de dinero colocada justo debajo de ella, mostrando los abusos eclesiásticos—. Y ¿cómo es posible que todo lo relacionado con la Iglesia sea negativo? Por eso don Diego pintaba solo lo que él quería, lo que le convenía —discutía, mientras volvía a su quehacer barriendo el pasillo—. El comunismo, muy bien gracias; la Iglesia, muy mal. Hasta Frida Kahlo tuvo más relevancia que la Virgen de Guadalupe.

Paola y Elías vieron detenidamente la clara imagen de Frida en el mural de la izquierda, justo debajo de un pequeño dibujo de la imagen de la Virgen de Guadalupe.

—Disfruten de su día —comentó el empleado municipal, mientras se retiraba barriendo el pasillo—. Les recuerdo que hoy vamos a cerrar más temprano por el volcán. Ya saben cómo son aquí, siempre poniendo pretextos para no trabajar. Jajaja.

—De cierta manera, tiene razón el señor —disertó Paola.

—¿A qué te refieres?

—El país no es el paraíso comunista que se imaginó él y Frida —dijo Paola, caminando hacia la escalinata en la izquierda—. Nunca se imaginó los problemas con el narcotráfico y la gran emigración a Estados Unidos.

—Es verdad, lo que me llama la atención es la gran cantidad de simbolismos dentro del mural. Cómo el artista expresa su ferviente ateísmo, por eso dibuja a los frailes y sacerdotes de una manera grotesca. Recuerdo una de las famosas frases de Diego Rivera en la que citaba: «Yo soy ateo y considero que las religiones son una forma de neurosis colectiva».

—Habrá sido por eso que él y Frida se metían en tantos problemas con el gobierno.

—No solamente con el gobierno. Cuando pintó en el Hotel Del Prado el mural titulado *Sueño de una tarde dominical en la Alameda Central,* el mismo Diego Rivera se pintó como un niño agarrado de la mano de la Catrina y detrás de él estaba Frida Kahlo con el símbolo del yin y el yang. Bueno pues, en uno de los pergaminos que tenía uno de los personajes del mural estaba pintado con una de sus frases más famosas: «No Hay Dios» —Elías se alejó un poco de la pared para admirar más la majestuosa obra—. Por esa razón, el arzobispo que iba a bendecir el mural en su inauguración en 1948 se negó a hacerlo. Después un grupo de estudiantes destruyó la frase y el rostro del pequeño Diego. El hotel cubrió el mural durante muchos años y tras la muerte del pintor cambiaron la frase por otra leyenda para evitarse más broncas.

—Pero ¿cuál es la relación de ellos con el *Nicān Mopōhua*? —le preguntó Paola, mientras también retrocedía para ver el mural. Sacó el celular de su bolsa y escribió: *Frida y Diego 1929 – 1935.*

El resultado daba un sinfín de fotos de la pareja del día de su boda.

—Chiles rellenos, huazontles en salsa verde, mole negro de Oaxaca, pozole rojo de Jalisco.

—¿Y eso? Ni hables de comida que traigo mucha hambre.

—Es parte del menú de la boda de Frida y Diego en 1929 —Paola continuó leyendo el artículo—. Y lo que son las cosas, la comida fue preparada por la exesposa de Diego, Lupe Marín, y por Concepción Acevedo de la Llata.

Elías se volteó de inmediato y preguntó:

—¿Por quién?

—Por la exesposa de Diego, Lupe Marín.

—No, no, la otra cocinera.

—Ah, por Concepción Acevedo de la Llata.

—¡Esa es la madre Conchita! —Elías, alzando la voz, se expresó como si le hubieran dicho alguna inconveniencia.

CAPÍTULO 23

T – Menos 8 horas

En las oficinas del Colegio Militar, el general Baltazar veía en su computadora la imagen en video de Paola y Elías observando el mural en el Palacio Nacional.

—¿Qué carajos estarán haciendo? —murmuró entre dientes el oficial; tomó su celular y le habló a su agente encubierto, que estaba del otro lado de la escalera filmando con un celular en el bolsillo de su gabardina—. ¿Han hablado con alguien o se han contactado con alguien?

El agente encubierto se llevó un dedo al auricular y respondió:

—Solo hablaron con el hombre de limpieza, ya lo está checando mi compañero, pero parecía algo natural. No creo que hubiera una conexión entre ellos.

El general tomó un pañuelo y se lo pasó por la frente, suspirando, y volvió hablar:

—Mantente cerca, estos dos están tramando algo.

—Sí, mi general —respondió el agente, simulando tomar fotos de la *Epopeya del pueblo mexicano.*

—¿Ella es la madre Conchita? —preguntó Paola, viendo la foto de bodas de Diego Rivera, Frida Kahlo y sus testigos, el peluquero de Frida, un homeópata y Concepción Acevedo de la Llata—. Pero ¿qué no fue arrestada en 1929?

—Sí, pero la boda fue antes de que la enviaran a las Islas Marías —respondió Elías, viendo las fotos en el celular. Amplió el recorte del periódico del 24 de agosto de 1929, y comenzó a leer el pie de foto:

SE CASÓ DIEGO RIVERA. El miércoles último, en la vecina población de Coyoacán, contrajo matrimonio el discutido pintor Diego María de la Concepción Juan Nepomuceno de la Rivera y Barrientos Acosta y Rodríguez con la señorita Frida Kahlo, una de sus discípulas. La novia vistió, como puede verse, sencillísimas ropas de calle, y el pintor Rivera de americana y sin chaleco. El enlace no tuvo pompa alguna; se celebró en un ambiente cordialísimo y con toda modestia, sin ostentaciones y sin aparatosas ceremonias. Los novios fueron muy felicitados, después de su enlace, por algunos íntimos.

—¡Algunos íntimos! Entonces la madre Conchita estaba entre este selecto grupo —comentó Paola, mientras volteó a ver de nuevo el mural.

De repente su mirada se fijó en la mujer que estaba pintada enfrente de Frida, una mujer de pelo oscuro con una blusa roja que llevaba en sus manos un pergamino.

—Espera, ¡esa es la madre Conchita! —le dijo a Elías, tomándolo del hombro y dándole la vuelta para que viera el mural.

—¿Será? —levantó el celular para observar la foto en la pantalla del teléfono y compararla con la dama en el mural—. ¡No hay duda, se trata de la madre Conchita!

Paola tomó el celular para leer más artículos relacionados con la boda de Frida y Diego, topándose con una fotografía de la carátula del periódico *La Prensa – Diario Ilustrado de la Mañana* donde el encabezado a ocho columnas decía:

¡Muerte a Rivera! ¡Larga vida a Jesucristo! Esos fueron lo gritos de las multitudes de jóvenes religiosos y estudiantes reaccionarios, que lanzaban piedras a las ventanas del estudio de Diego Rivera y hasta en el recibidor de La Casa Azul de Frida Kahlo en Coyoacán. Diego Rivera en compañía de su esposa y su colega artista el fervoroso José David de Jesús Alfaro Siqueiros organizaron una

contramanifestación de parte del Partido Comunista Mexicano.

—Comunista. Ateo. Definitivamente, la ideología de Diego Rivera no era acorde con el pensamiento del pueblo mexicano a principios del siglo XX —dijo Paola tras leer el artículo de *La Prensa*.

—Y empeoró mucho después de la Segunda Guerra Mundial. Esa fue una de las razones por las cuales todos los actos y conversaciones de la pareja estaban bajo la mirada de espías del gobierno mexicano —dijo Elías, a la vez que comenzaba a bajar las escaleras del tercer piso del Palacio Nacional.

Antes de bajar la escalinata, Paola tomó una fotografía del mural donde estaba Frida y la madre Conchita.

—¿Cómo que los estaban espiando?

—En 1947, la administración del entonces presidente Miguel Alemán Valdés creó en México la Dirección Federal de Seguridad, la DFS, uno de los aparatos de inteligencia más sombríos del país, cuya función era la de recabar información de todas las actividades terroristas o subversivas en la república mexicana. Pero para variar, fue utilizado por el gobierno en el poder para espiar a los políticos de oposición, realizando muchas prácticas en contra de los derechos humanos, como torturas, desapariciones y asesinatos —comentó Elías, volteando a ver el mural una vez más desde la planta baja—. De verdad, es un mural hermoso.

—¿Ellos eran los que estaban espiando a Frida y Diego?

—No solamente a ellos dos, a todos sus familiares y amigos.

—Pero ¿cómo es posible?

—Es posible con el modelo de la espiral, que es la fórmula universal del espionaje mundial. Modelo que fue copiado al pie de la letra por la Dirección Federal de Seguridad. Primero la DFS comenzaba a espiar a una persona. A partir de esta persona, la espiral va creciendo y en cada giro se van sumando más y más nombres. Primero los familiares, después los amigos, después los amigos de los familiares y los amigos de los amigos. De tal manera que siempre hay información del personaje principal.

—¿Cómo sabes todo esto?

—Al ingresar a la policía militar, estudiamos todos los sistemas de espionaje y contraespionaje que son utilizados en el mundo. Por eso te digo que la mayoría de las conversaciones de Frida y Diego, en los estudios del pintor y en La Casa Azul de Coyoacán, fueron interceptadas por la DFS. Este fue uno de los ejemplos que se tocaron en ese curso —Elías se detuvo en la base de las escaleras y apuntó a un rostro semiescondido en el mural—. ¿Ves esa cara? Allá, en la parte superior del mural. Solo se ven los labios regordetes y la nariz, con un sombrero de paja que le cubre los ojos, justo detrás de uno de los presidentes de México y señalado por el águila, en el estandarte de la bandera, que porta Agustín de Iturbide. Bueno, ese es Diego Rivera, escondido en su propia pintura. Él sabía que el gobierno lo vigilaba por su ideología comunista, pero nunca se imaginó hasta qué punto. Por eso, subliminalmente, se trató de esconder en esta obra.

Al decir esto, Elías observó en el reflejo de una ventana a uno de los agentes que los estaba siguiendo.

—La mayoría de los murales de Diego Rivera captan con facilidad la sintomática del país, el pueblo de calzón blanco, a los campesinos, a los obreros, a los políticos y a la burguesía. Todos ellos siempre estaban presentes en sus murales.

—Con tanta simbología en este mural, ¿acaso Diego era parte de alguna sociedad secreta en México? —le preguntó Paola, sin dejar de observar la pintura.

—¿Por qué lo preguntas?

—Por el símbolo del ojo dentro del triángulo, justo en la entrada de una iglesia —dijo Paola, señalando a la derecha del mural central, justo a espaldas de Benito Juárez.

—Eso fue algo que le trajo muchos problemas a Diego.

—¿Problemas?

—Porque, en esa época, existía en México una gran tensión entre la política y la cuestión espiritual. No solamente con la religión católica, también con las sociedades secretas como los masones, los rosacruces y por supuesto la milicia cristera. Y aunque suene chistoso, Diego Rivera estaba metido en casi todo. Era muy activo en la política del país, entre sus amistades estaban los políticos más poderosos, era miembro del Partido Comunista Mexicano y fue uno de los fundadores de la Gran Logia Hermandad Rosacruz Quetzalcóatl, que basaban su filosofía en los conocimientos ocultos de Egipto, cuyo propósito era diseminar una enseñanza sobre el origen, evolución y final del ser humano y del universo. Los rosacruces dicen ser el nexo de unión entre la ciencia y la religión.

—Entonces, ¿Diego era comunista, masónico y rosacruz?

—Antes que nada Diego, era mexicano. Él peleaba por las causas que en ese momento pensaba eran las correctas. Pero por pintar ese ojo masónico en este mural, le costó que el Partido Comunista Mexicano le prohibiera el poder regresar a sus filas.

—Pero ¿qué tiene que ver una cosa con la otra? ¿Por qué no lo querían de regreso? —preguntó Paola.

—Rivera formó parte del Partido Comunista desde 1922 hasta 1929, cuando fue expulsado del mismo.

—¿Expulsado? Pero si era una de las personas más influyentes del momento.

—Sí, fue expulsado del Partido Comunista —comentó Elías, viendo todos los símbolos marxistas en el mural—. Lo corrieron argumentando que estaba trabajando para el gobierno mexicano y por su relación con gente acaudalada en Estados Unidos. Finalmente aceptó esta disposición y se postula en contra de Stalin y del gobierno de la Unión Soviética.

—Pero este, se metía en problemas con todo el mundo.

Elías accedió con la cabeza y sonrió.

—Por eso cuando regresó al Partido Comunista en los años cincuenta le hicieron llenar un enorme cuestionario de reingreso, donde una de las preguntas era si en algún momento había sido parte de los masones. Porque ellos no permitían en sus filas a miembros masones. Recuerdo que, en la respuesta del pintor, comentó que se hizo miembro de los rosacruces para investigar los métodos de penetración del imperialismo.

Con la mirada confundida, Paola volteó a ver a Elías.

—¡Entonces el mismo Diego Rivera era un espía!

—Sí, así es. Según su propia declaración en 1954, fue un acto de espionaje, porque en ese entonces en la Logia Rosacruz había miembros con gran poder político como Jesús Silva Herzog, que ayudó a la nacionalización del petróleo en México, Gilberto Loyo, Secretario de Economía. A través de los años, los rosacruces han tenido mucha gente distinguida como Leonardo da Vinci, Benjamín Franklin, Isaac Newton, Galileo Galilei y por supuesto Diego Rivera.

—Y a todo esto, Frida y Diego, ¿nunca se enteraron de que estaban siendo espiados por el gobierno? —preguntó Paola, bajando por las escaleras al patio central del Palacio Nacional.

—Claro que estaban conscientes de ello. En 1947, recién terminada la Segunda Guerra Mundial, toda la humanidad tenía noción y por ende tenían terror de los campos de concentración, de los miles y miles de cuerpos calcinados en los hornos y del ataque atómico a las ciudades de Hiroshima y Nagasaki. Terminaba la guerra en contra de Alemania y de Japón, pero comenzaba otro conflicto, se abría otra puerta. La puerta de la Guerra Fría. Un mundo completamente absorbido con dos visiones completamente diferentes, la del mundo capitalista y la del mundo socialista.

—Sí, me imagino que eran tiempos muy difíciles.

—Frida y Diego decidieron apoyar al régimen socialista. Eran miembros del Partido Comunista Mexicano. Por esa razón, la Dirección Federal de Seguridad infiltró entre sus amigos a un agente secreto para recabar toda la información de la pareja. Ellos nunca supieron quién era el espía, sospechaban de todo mundo, incluyendo a David Alfaro Siqueiros y también a Emilio «El Indio» Fernández.

—¿El actor?

—Sí, él era parte de sus amistades; recuerda que era una de las parejas más celebradas en México. Entre sus amigos estaban también Lázaro Cárdenas, Cuauhtémoc Cárdenas, El Indio Fernández, Anatoli Kulishnov, embajador de Rusia en México, y muchos más.

—¿Y ahora adónde vamos? —preguntó Paola, saliendo del edificio de Gobierno.

Mucha gente se estaba comenzando a reunir en El Zócalo de la ciudad para participar en una de las ocho manifestaciones que estaban programadas para ese día en distintos puntos de la ciudad. La de El Zócalo era para apoyar el movimiento en contra de los homicidios de mujeres en México.

—Iremos a ver a un amigo que nos puede ayudar con esto —dijo Elías, mientras la tomaba del antebrazo para cruzar la calle.

—Pero recuerda que si hablamos con alguien, la manta arde.

—Es la única opción que tenemos. Si Frida y Diego tuvieron conocimiento del *Nicān Mopōhua* es muy probable que esa conversación haya sido grabada por la DFS.

—Pero esos son archivos de 1947. Además, de existir serían parte del Gobierno.

—Si fueron grabados deben de estar en algún lado de la Deep Web.

—¿La Deep Web? ¿Y eso? —preguntó Paola, caminando por la acera enfrente de El Zócalo.

—La Deep Web es la red oculta del internet. Surgió en 1994, con el nombre de *Invisible Web*, ahí está todo. Todo eso que se mantiene oculto e inaccesible en el internet para el público en general. Todo eso lo puedes encontrar en la Deep Web.

—¿Puedes ingresar por medio del internet del celular?

—No, no se puede ingresar con un navegador convencional. Y si no lo sabes hacer, lo más probable es que bajes algún virus a tu celular o computadora. Pero tengo un amigo que es hacker y me debe un par de favores.

—Toma, llámale —le dijo Paola, entregándole el celular.

—No, no tengo su número. La única manera de contactarlo es por medio de mensaje. Para eso vamos a un cibercafé.

A unos sesenta metros atrás de Paola y Elías, los dos miembros de seguridad salían por la puerta principal del Palacio Nacional. Uno de ellos se ajustó los lentes oscuros, mientras que el otro hablaba por el celular.

Ya dentro del cibercafé, de las diez computadoras que tenían solo cuatro estaban siendo utilizadas, tres jóvenes jugando videojuegos y un estudiante trabajando en su tarea. Debido a las exigencias de los videojuegos, el sistema de internet del local era de lo mejor en México, así como su equipo de cómputo, que era de la más alta tecnología.

Paola pidió un par de sándwiches, un refresco y un café, mientras que Elías se posó enfrente de una de las computadoras. Los dos agentes de seguridad los veían entrar al cibercafé, pero decidían seguir caminando para no ser tan obvios. Elías, al voltear a ver a Paola, distinguió a los dos hombres que pasaron de largo.

El profesor abrió el navegador TOR, siglas de The Onion Router, para tener acceso a la Deep Web.

—¿Y ese navegador? —le preguntó la doctora, entregándole su café y su sándwich.

—Este navegador fue inventado por el Laboratorio de Investigación Computarizada de la Naval de los Estados Unidos. Pero después fue patrocinado por una organización para la defensa de las libertades civiles en el mundo digital. Y es la única manera de contactar a este amigo que se hace llamar Al-Kindi.

—Al-Kindi. ¿Un nombre musulmán?

—Es su nombre de usuario. Al-Kindi fue uno de los padres de la criptografía —le respondió Elías, escribiendo el mensaje.

Al-Kindi,
Ayuda para localizar archivos de la DFS.
Entre 1930 y 1950.

Tema: Diego Rivera y Frida Kahlo.

Respuesta urgente. TomatoCrab

—¿TomatoCrab? —le preguntó Paola, sorprendida.

—La única vez que lo conocí pedí una sopa de tomate y unas jaibas rellenas. Y desde entonces me conoce con ese nombre —respondió el profesor, sonriendo.

—¿Y si no ve el mensaje hoy?

—Sí lo verá.

Apenas terminó de hablar se escuchó un *PING* en la computadora.

—Te dije —respondió Elías, abriendo el mensaje.

TomatoCrab,
Gusto saludarte, andas perdido.
¿Exactamente qué necesitas?

Dándole una mordida a su sándwich, Elías respondió:

Archivos antes, durante y después de la Segunda Guerra Mundial.
Dirección Federal de Seguridad reconocimiento oficial
Frida Kahlo, Diego Rivera con Concepción Acevedo de la Llata.

—Y ahora es cuestión de esperar —comentó Elías, volteando hacia la ventana del cibercafé. Una gran cantidad de manifestantes portando mantas y leyendas marchaban en la calle.

—¿Existirán todavía esos archivos?

—Todo lo que en algún momento se subió al internet. Todos los *emails*, todas las fotos, videos. Cualquier documento que hayas enviado por *email*. Todo está en alguna nube. Solo hay que saber buscar. Tienes que tener la dirección exacta a los lugares que quieres entrar —dijo Elías, terminando de comerse su bocadillo—. Mucha gente intenta entrar a estos sitios, si no sabes navegar ahí, te hace vulnerable para los depredadores. Te pueden extorsionar, hackear o hasta secuestrar. Por eso no es recomendado.

PING, sonó la computadora. En la pantalla apareció el siguiente mensaje.

Reporte del 31 de diciembre 1948 – Firmado por el coronel Marcelino Arrieta.
—En conversación tenida el día de ayer por uno de nuestros agentes con elementos conectados íntimamente con Diego Rivera y David Alfaro Siqueiros, se juzgaba como improcedente y fuera de los métodos comunistas mexicanos actos de sabotaje, y menos que dichos pintores que profesan ideas marxistas fueran a dirigirlos.
Hay mucha información. ¿Algo más detallado? o ¿deseas todo?

Elías, escribió:

Frida – Diego – Nicān Mopōhua.

En menos de 60 segundos, recibió el mensaje que esperaba.

2 de julio 1954 – Firmado por el coronel de infantería Santiago P. Herrera
Le transcribo a usted para su conocimiento.
El señor Diego Rivera le habló a la señora Frida Kahlo.
Conversación a continuación:
—¿Cómo sigues?
—Jodida, deprimida. Extrañando mi derecha. Sabes que te mentí.
—¿De qué hablas?
—Hace tiempo te había dicho que te duraría lo que tú me cuidaras.

Risas.

—*Claro que me acuerdo. {Yo le duro lo que usted me cuide, yo le hablo como usted me trate y le creo lo que usted me demuestre.} Cómo no me voy a acordar.*

—*Aunque me cuides, no creo durar mucho más. (interferencia – audio borroso).*

—*Calla, no digas eso. Pepe va a pasar por ti para que me acompañes a la marcha en contra de la intervención estadounidense en Guatemala, vendrá también Juan O'Gorman. Dónde pusiste el Nicān – - – - (interferencia – audio borroso)*

—*Cerca de mi corazón, (interferencia – audio borroso) el que tiene el símbolo del medallón que me regalaste en nuestra segunda bo… (interferencia – audio borroso)*
Cese de comunicación.

Al-Kindi mandó cuatro fotos con el mensaje.

1. Primera boda de Diego Rivera y Frida Kahlo con sus tres testigos, un peluquero, un médico homeópata y una amiga de la señorita Kahlo.
2. El día de la segunda boda de Frida y Diego, ella portando un medallón con el símbolo comunista.
3. El corsé de Frida con la hoz y el martillo y un feto pintado en el estómago.
4. El corsé de Frida con la hoz y el martillo y un agujero en el estómago.

Tras leer el mensaje y ver las fotos, Paola tomó el celular y observó la última foto que tomó en el muro sur del Palacio Nacional. Frida enfrente de la madre Conchita.

—Checa el medallón de Frida. ¡El medallón con la estrella roja, la hoz y el martillo!

Elías respondió por mensaje:

—¿Dónde están los corsés en estos momentos?

—Todo debería de estar en el museo de Frida Kahlo en Coyoacán —intercedió Paola, tras leer el mensaje.

—No necesariamente. La casa es muy pequeña para una colección tan grande —respondió Elías, justo en el momento que entró otro mensaje a la computadora.

Para dar paso a la exposición: las apariencias engañan: los vestidos de Frida Kahlo. Varios de sus corsés y algunas de sus pinturas fueron guardadas en el almacén al lado de La Casa Azul en Coyoacán. Ambos corsés con la hoz y el martillo están en ese almacén. Suerte.

Gracias. Es todo lo que el profesor respondió por mensaje. En su monitor, Elías le dio autorización de controlar su pantalla. De inmediato, la pantalla se iba por un segundo a negro y volvía a la normalidad.

—Listo —comentó Elías—. Aquí no ha pasado nada, que siga la fiesta —dijo, antes de salir por la puerta del cibercafé.

Elías le tomó el antebrazo a Paola.

—Nos están siguiendo. Hay dos agentes encubiertos que nos han estado siguiendo desde que salimos del Castillo de Chapultepec.

—¿Y por qué me dices hasta ahora?

—Porque no estaba seguro de que nos seguían. En el Palacio Nacional nos estaban grabando en video y nos siguieron hasta aquí. Quédate cerca de mí.

Al decir esto la tomó de la mano y se mezclaron entre la multitud que marchaba pacíficamente en medio de la calle. Elías pidió llevar una de las mantas, mientras que Paola tomaba una pancarta para cubrirse un poco la cara. Entretanto, gritó lo mismo que el resto de los manifestantes:

—Ahora que estamos juntas, ahora que sí nos ven. Alerta, alerta. No más desaparecidas. No más, no más.

Uno de los agentes se acercó a ver por la ventana del cibercafé. Al no ver a la pareja adentro, llamó de inmediato a su compañero. Los dos ingresaron al local, uno hablaba con el cajero, mientras el otro prendía la computadora donde estaba trabajando Elías.

A dos cuadras de distancia, Paola y Elías se separaron de los manifestantes.

CAPÍTULO 24

T – Menos 4 horas

Veinticuatro miembros de la Brigada de Fusileros Paracaidistas del Ejército Mexicano estaban a dos cuadras de la casa establecida por la avenida Morelos, cerca del Convento de San Gabriel Arcángel en San Andrés, Cholula, en Puebla. La casa donde supuestamente se reunían los miembros del movimiento cristero que podrían estar involucrados en el robo de la tilma de Juan Diego.

—General, estamos a menos de cien metros de la casa —habló con un tono pausado el subteniente a bordo del camión blindado DN-X1, vehículo de transporte y combate urbano que rechinaba las llantas al doblar por las calles de la ciudad.

—Manda el Cimarrón por delante —le ordenó el general al subteniente—. Conecta el video para comenzar a grabar.

La Brigada de Fusileros, mejor conocida como la BFP, estaba entrenada para operaciones de alto impacto en contra del crimen organizado. Su especialidad era el rescate de rehenes, el combate cuerpo a cuerpo, la protección y el traslado de individuos. Esa era la razón principal por la cual el general Teófilo Baltazar decidió utilizarlos para tratar de recuperar la tilma de Juan Diego. Veinticuatro soldados, armados hasta los dientes, todos listos para entrar en acción. Por meses habían estado practicando este tipo de asaltos y por fin les había llegado el momento de demostrar sus habilidades en vivo y en directo. Todo estaba siendo transmitido en video al cuartel general, donde estaban los oficiales de alto rango.

El convoy se componía por tres Humvee con ametralladoras de 7,62 mm y lanzagranadas MK-19 de 40 mm. Cinco vehículos de arranque rápido con dos ametralladoras de 5,56 mm capaces de disparar novecientas balas en un minuto y el DN-X1 Cimarrón, vehículo blindado de transporte de tropas que, al acercarse a la casa mencionada, se colocó enfrente de la caravana.

La imagen de video en el monitor del centro de control se movía constantemente con el movimiento del Humvee. El soldado que controlaba la cámara trataba de estabilizarla. La pantalla mostraba a sus compañeros dentro del vehículo, uno colocando un cargador de catorce balas en su pistola 9 mm, otro cortando cartucho en su ametralladora FX-05 Xiuhcoatl y le quitaba el seguro. Todos estaban enfocados para entrar en la batalla.

Algunas personas en la calle que miraban el despliegue del ejército comenzaron a transmitir en sus redes sociales. El camión blindado Cimarrón fue el primero que se colocó enfrente de la casa de dos pisos; flanqueándolo por ambos lados, se posicionaron los tres Humvee y atrás de ellos los cinco vehículos con sus respectivos soldados operando las ametralladoras.

Las cuatro puertas del Cimarrón se abrieron casi al mismo tiempo. El subteniente salió de la puerta del copiloto con un altavoz en mano, en las otras puertas tres soldados se postraron con sus armas apuntando a la casa.

—¡Los tenemos rodeados! Salgan con las manos en alto —gritó el subteniente por el altavoz—. Salgan con las manos en alto.

Apenas terminó de decir esto cuando de las cuatro ventanas de la casa salieron las ráfagas intermitentes de fuego, dándole la bienvenida a los soldados. Rápidamente se cubrieron dentro de los vehículos blindados. Lo curioso era que el ejército no regresaba el fuego.

A una cuadra de la balacera, Moisés observó todo protegiéndose detrás de un poste de luz.

—¡Que nadie dispare! —gritó el general por el *walkie-takie*.

La puerta de cristal en la terraza se deslizó de golpe. Uno de los ocupantes, un hombre moreno de unos 27 años con tatuajes en los brazos hechos en la prisión, vestido de pantalones de mezclilla con una camiseta negra y botas vaqueras, salió fumando un cigarrillo. Se les quedó mirando a los soldados de una manera amenazadora. Todos los cañones de las ametralladoras de los Humvee y de los cinco vehículos de arranque rápido, todos apuntaban hacia el hombre en la terraza. De haber jalado el gatillo cualquiera de estas balas lo hubiera destrozado por completo, pero el silencio era sepulcral. El hombre en la terraza se terminó el cigarrillo, y tomándolo entre los dedos de la mano derecha se lo aventó a los soldados. Volteó hacia adentro y le pidió algo a su compañero dentro de la casa.

—¡Es la tilma de Juan Diego! —dijo el subteniente, cubriéndose detrás de la puerta del Cimarrón—. ¡Pusieron la tilma de la Virgen de Guadalupe en un estandarte!

Adentro de la casa, otro de los sicarios portaba un chaleco antibalas y un AK-47. Escuchaba atentamente el radio táctico colocado arriba de la mesa de la marca Harris Falcon II RF 5800H-MP, el mismo radio que usaba el Ejército Mexicano. Todas las conversaciones estaban siendo monitoreadas por los sicarios.

—¡No disparen! ¡Que nadie dispare! —volvió a gritar el general.

El hombre en la terraza se escondió detrás del estandarte de la Virgen y le pidió otra cosa a su compañero de adentro. Con la mano izquierda sostenía el estandarte y con la derecha tomaba una ametralladora Galil 5,56 mm de origen israelí, se colocó el fusil a la altura de la cintura y disparó una ráfaga de balas en contra de los vehículos militares. La mayoría de los soldados se guareció detrás de las puertas de los vehículos blindados. El rufián continuaba apretando el gatillo de manera intermitente, haciendo que la Galil escupiera fuego sin parar.

Una de las balas impactó el hombro de uno de los soldados que estaba operando la doble ametralladora calibre 5,56 mm, lo que hizo que jalara instintivamente el gatillo y soltara una ráfaga de más de cincuenta balas antes de quitar el dedo del fusil. La puerta de cristal de la terraza explotó en mil pedazos.

El ruido era ensordecedor, los sicarios dentro de la casa respondían con ráfagas de balas desde cada ventana. El hombre de los tatuajes de inmediato se metió a la casa junto al estandarte de la Virgen. Todo había sido captado en video por parte del ejército y de los transeúntes para sus redes sociales. Milagrosamente, ni el hombre en la terraza ni la tilma sufrieron daño alguno en la balacera.

—¡No disparen! —gritó Moisés desde su escondite detrás del poste de luz.

«Van a destruir la manta de la Virgen» pensó el seminarista.

Viendo el monitor en las oficinas del ejército, el general se llevó las manos a la cabeza.

—¡Con un carajo! ¡Dije que no disparen!

En el vehículo de ataque rápido, el soldado herido quedó tirado boca arriba. De inmediato el cabo de sanidad, tijeras en mano, se agazapó en la parte trasera del vehículo, lo acomodó y le colocó la cabeza sobre sus rodillas. Cortó parte del uniforme para revisar las heridas. La sangre fluía profusamente del hombro derecho, y al voltearlo vio que la bala tuvo trayectoria de salida por la espalda.

Un helicóptero UH-60 artillado comenzó a dar vueltas por encima de la residencia con el fin de realizar el reconocimiento aéreo para evitar que se sumaran más delincuentes y, principalmente, para evitar la fuga de cualquiera de los residentes de la casa.

Mientras tanto, en las oficinas de la CENAPRED se vivían momentos de tensión. Diana Durán continuaba monitoreando la actividad volcánica del Popocatépetl, catalogado como un estratovolcán, por sus múltiples capas de lava derretida y por su forma en cono de gran altura.

Ajustándose su diadema inalámbrica, Diana siguió dando los últimos detalles del volcán:

—Explosiones 15, exhalaciones 234 acompañadas de vapor de agua, 10 sismos vulcanotectónicos, el de mayor intensidad sigue siendo el primero de 6,5 en la escala de Richter.

—Sí, señor presidente —dijo el director general Pablo Orejón; tras escuchar el último reporte de Diana, dijo—: Tanto el Popocatépetl como el Nevado de Colima. Los dos entraron en actividad esta mañana. El ejército y el personal médico está en alerta para ayudar a las víctimas. Cualquier cosa lo mantendremos al tanto.

Todos los técnicos y supervisores estaban atentos a la pantalla de Diana, que monitoreaba el Popo.

De repente, sonó otra alarma en las computadoras.

«Bip-bip, bip-bip» sonó la computadora de Daniel Treviño, el joven técnico encargado de los volcanes y sismos afuera del territorio mexicano. De inmediato se sentó en su escritorio y comenzó a teclear en su computadora. Las agujas de los sismógrafos comenzaron a dibujar grandes rayas horizontales en el papel, marcando 8,5 en la escala de Richter.

—Es en Hawái, señor —le dijo al director general, que por fin colgó el teléfono.

—¿El Mauna-Loa? —preguntó Pablo Orejón—. ¡El volcán más grande del mundo!

—No, señor, no es el Mauna-Loa. Me indica que es el Pūhāhonu —respondió el joven.

—El Pūhāhonu, ¿ese de dónde salió?

Daniel Treviño comenzó a buscar en el internet. Y comenzó a leer:

—Pūhāhonu significa «tortuga que sale a respirar». Es un estratovolcán al noreste de Hawái de 13 millones de años de antigüedad. Es el doble del tamaño del Mauna-Loa.

—¡El doble del tamaño del Mauna-Loa! —el director general se quedó sin habla, boquiabierto. Sabía muy bien lo que esto podía significar.

Daniel continuó leyendo en el monitor:

—En 1974, científicos vulcanólogos descubrieron este pico que sobresale del océano, pero lo desestimaron porque la mayor parte del volcán, toda su base, está bajo agua. Pero con la nueva tecnología y el uso de satélites de mapeo, realizaron medidas batimétricas y mapeo de gravedad. Los nuevos cálculos y los análisis hacen al Pūhāhonu el volcán más grande del mundo —el joven Treviño volteó a ver a sus compañeros, antes de seguir leyendo—: Según los vulcanólogos, el Pūhāhonu no es solamente el volcán más grande del mundo, también es el más caliente. A partir de los cálculos de la composición de su roca fundida y materiales, su magma alcanza temperaturas de hasta 1700 grados centígrados. Esto es excepcionalmente mucho más caliente que cualquier otro volcán en los últimos 65 millones de años, lo que justifica la gran cantidad de magma que ha brotado para crear a este supervolcán —terminó de leer. Sentía una opresión en la garganta, una falta de aliento. Sabía bien que estas no eran buenas noticias.

El joven operador se ajustó la diadema inalámbrica para dar los detalles del volcán Pūhāhonu:

—Explosiones 3, al mismo tiempo se registró un maremoto a 10 mil metros de profundidad en la Fosa de las Marianas en el Pacífico. Su registro fue de 8,5 en la escala de Richter.

—La Fosa de las Marianas es el punto más profundo del océano Pacífico —comentó Pablo Orejón—. Es tan profundo que podríamos poner ahí el Monte Everest, y su punto más alto estaría todavía a más de dos mil metros bajo el agua —se aproximó para ver de cerca la imagen satelital en la computadora de Daniel—. Nuestro principal problema ahora será el tsunami que pegará en la costa del Pacífico.

El director general tomó el control del mouse y del teclado del operador.

—La longitud de onda de las olas es de aproximadamente 150 kilómetros, avanzando a una velocidad media de 404 nudos. Distancia 9753 kilómetros. Lo que significa que, en unas catorce horas, la costa del Pacífico registrará olas de cuatro a diez metros de altura.

Pablo hizo una pausa y terminó diciendo:

—Que Dios nos proteja.

CAPÍTULO 25

T – Menos 3 horas

A ciento treinta kilómetros de distancia, ajenos a todo lo que estaba pasando en Cholula, la doctora y el profesor llegaban a la intersección entre las calles Ignacio Allende y Londres en la ciudad de Coyoacán, uno de los barrios más bellos y antiguos de la Ciudad de México. Su destino era La Casa Azul, sitio en el que nació y murió Frida Kahlo, y que cuatro años después de su muerte en 1958 fue convertido en museo. Hoy en día era uno de los museos más concurridos de la gran urbe.

—«*La muerte baila alrededor de mi cama*» —comentó Paola, viendo el celular.

—¿Cómo? —preguntó Elías, tras ser agarrado desprevenido.

—Es lo que escribió Frida —le mostró el celular—. Es literal lo que dijo cuando tenía 18 años. Que vio la muerte bailando en su habitación del hospital. Tras el accidente que tuvo el autobús donde viajaba en contra de un tranvía, se fracturó la columna vertebral, en el pie derecho sufrió once fracturas, se fracturó la pelvis y, para acabarla de amolar, la barandilla de hierro del autobús se le incrustó a través de la pelvis. Años después comentó que así es como había perdido su virginidad —comentó Paola, mientras sacaba el pedazo de tela que encontraron atrás de la pintura de sor Juana.

1929 – XIXXWƆW
ᴬꟻ
CENSUᴙᴀ
SUᴘᴘƖᴄIO

AMPLITUDO
INFECUNDITAS
Y
LEPIDE
CRUX CRUCIS
SEMPER
VIRGO
UXOR
στοργη – **Caritas**

—Muy cierto todo lo que está en este pictograma —dijo la doctora. Leyó las notas en su cuaderno:

Uxor: esposa o mujer.
Virgo: virgen o mujer joven.
Semper: siempre.
Crux Crucis: cruz.
Lepide: elegante.
Infecunditas: estéril.
Amplitudo: grandeza.
Sufficio: autosuficiente.
Censuro: la censura.

Hizo una pausa para ver la casa de Frida:
—Por eso tiene sentido que escribiera: «La muerte baila alrededor de mi cama».
Pasaron enfrente de La Casa Azul con bordes rojos. Una enorme puerta verde en la entrada y cuatro ventanales del mismo color. Arriba de la puerta se leía MUSEO FRIDA KAHLO. Existía una gran relación entre la artista, sus obras y su lugar de residencia. La casa fue construida en 1904 por orden del padre de Frida, Guillermo Kahlo, y no era muy grande. Se hizo a la usanza francesa de la época con un gran patio en el centro y las recámaras rodeándola. Cuando Diego Rivera se casó con Frida, terminó de pagar las hipotecas que había adquirido Guillermo

Kahlo, quien se había endeudado pagando los múltiples gastos médicos generados por Frida después del accidente.

La Casa Azul tiene una construcción de 800 m2 y un terreno de 1200 m2. En la acera, un vendedor de fruta y algunas mujeres de rasgos indígenas vendían artesanías mexicanas, a la espera pacientemente de la llegada de algún comprador. Al llegar a la esquina doblaron a la derecha en la calle Ignacio Allende, la barda azul con vivos rojos llegaba hasta la mitad de la cuadra, casi al final estaba la entrada del estacionamiento. En el zaguán, en una de las puertas estaba pintada la bandera de México y en la otra la bandera de Argentina.

—Esa es la entrada al almacén —mencionó Elías, tamborileando los dedos de modo inquieto en el tablero del automóvil, al tiempo que pensaba en su siguiente movida. Sacó un par de destornilladores de la cajuela de guantes—. Espérame aquí —le indicó mientras salía del auto.

Bajando la ventanilla, la doctora dijo:

—Mejor te acompaño. ¿No crees?

—Es mejor que vaya solo. No me tardo.

Elías caminó hasta el zaguán. Se colocó al lado de la cerradura y comenzó a trabajar. Con los desatornilladores la abrió en menos de un minuto. Era evidente que sabía lo que estaba haciendo. Paola se quedó en el automóvil, vigilando que nadie lo viera entrando por el zaguán.

Ya dentro del almacén del museo, era igual de bello que la casa de la célebre pintora. Todas las paredes pintadas de azul con un empedrado de piedra volcánica o basalto, que fue un pedido especial de Diego Rivera al arquitecto que rediseñó La Casa Azul para que utilizara esta piedra precisamente, la misma roca que utilizaban los aztecas para construir sus pirámides y tallar sus piezas ceremoniales. Al adentrarse un poco más, comenzó a ver gran cantidad de vestidos regionales, muy en especial de la región del sureste de Oaxaca. Estos eran sus vestidos favoritos de la región de Tehuantepec, que constan de tres piezas: un huipil o blusa geométrica, una falda larga con enaguas y alguna blusa floreada. Todos sus objetos personales develaban la naturaleza íntima de la artista hispanoamericana más reconocida a nivel mundial.

«Y pensar que por más de cincuenta años gran parte de estas prendas, al igual que miles de fotografías y cientos de objetos personales de Frida, permanecieron protegidos bajo candados y sellos en baúles, cajas, roperos y cómodas en un baño en esta casa. Diego Rivera le ordenó a su mecenas y amiga, Dolores Olmedo, que nada de esto se diera a conocer hasta quince años después de su muerte. Sin embargo, ella decidió no abrir esta colección hasta 2002, cuando ella falleció», recordó Elías lo que había leído en el periódico local cuando encontraron estas piezas. «El artista tenía temor de que la correspondencia que tenía con Frida le acarreara más problemas políticos. O sería quizás por los devaneos de Frida con el político revolucionario ruso León Trotski. Razón por la cual Diego Rivera pidió que nada se abriera hasta después de su muerte. Les tomó cuatro años en catalogar todo lo que encontraron ahí. Todos estos nuevos documentos, fotos y prendas, continúan alimentando el mito de la gran pintora».

Frida tenía la costumbre de usar siempre faldas largas con muchas enaguas, concentrando muchos accesorios en la parte del torso para distraer las miradas a su cuerpo roto. Pretendía así ocultar que tenía una pierna más pequeña y más flaca que la otra debido a la polio. Y tapaba las múltiples cicatrices que tenía debido a las operaciones a las que se sometió después del accidente en el autobús.

Entre los artefactos guardados en el almacén, estaba la pierna prostética de madera, cuero y metal con una bota roja, adornada con bordados de dragones chinos en los lados. Una bota tal vez demasiado llamativa para los estándares de cómo se conocía a la pintora mexicana. Frida utilizó esta pierna prostética por muchos años hasta su muerte en 1954, a los 47 años de edad.

«Esto es como un tabernáculo para todos esos años de tormento y sufrimiento de Frida», murmuró Elías, mientras buscaba entre los armarios y almacenes el corsé y molde de yeso donde había pintado la hoz y el martillo comunista. «Todo esto representa el movimiento feminista de la artista. Todo su dolor, su discapacidad, su turbulento amor con Diego Rivera, pero sobre todo su inmenso amor por México».

Afuera de La Casa Azul, varias personas se habían congregado con el vendedor de frutas en la acera de enfrente. Paola se bajó del auto y fue a comprar un vaso de fruta con chile y limón. Todos ellos estaban atentos al celular de una de las mujeres que compraba. La curiosidad hizo que Paola se asomara entre ellos a ver qué estaban viendo.

—Parece que los tienen acorralados —comentó el vendedor de frutas.

—¿Qué pasa? —le preguntó Paola a uno de los jóvenes que veían el video.

—Encontraron a los que se robaron la tilma de la Virgencita morena —respondió una anciana.

—El ejército los tiene rodeados en una casa en Cholula —intervino el frutero.

En el video aparecía un soldado detrás de una Humvee, dando la espalda a la cámara, con un radio en la mano izquierda y su fusil en la derecha, varios soldados más colocados detrás de los camiones blindados, unos de pie resguardándose con las puertas de los vehículos, otros arrodillados y un par de ellos pecho en tierra. Todos apuntaban a la casa con fachada blanca en Cholula. Se notaba que la persona que operaba el celular no tenía mucho conocimiento para grabar videos, levantó la cámara para divisar al helicóptero UH-60 que daba círculos arriba de ellos, después hizo un giro bruscamente para tratar de enfocar la casa donde estaban los raptores.

—Al parecer un soldado fue herido por los ladrones —dijo la anciana—. Diosito santo, que nada le pase a la manta de la Virgen.

Paola levantó la vista y vio a Elías saliendo del zaguán de La Casa Azul, con una bolsa de papel bajo el brazo. De inmediato, cruzó la calle para unirse a él.

—¡Lo tengo! —le comentó Elías, mientras se subían al auto.

—El ejército tiene rodeados a los que se robaron la tilma de la Virgen de Guadalupe.

—¿Qué? ¿Dónde viste eso? —preguntó el profesor.

Sacó el celular para buscar el video.

—Está en todos los medios. Lo están transmitiendo en directo desde Cholula.

Unos de los videos recién subidos a YouTube era uno de los más crudos, mostraban dos minutos del tiroteo justo cuando el soldado era alcanzado por una de las balas del delincuente y la ráfaga de balas que salían de su ametralladora hacia la terraza donde estaba el estandarte de la Virgen de Guadalupe, destrozando todos los cristales del segundo piso de la casa.

—¡Dios mío! —dijo Elías—, van a destruir la tilma.

El video se iba a negro por un segundo, posiblemente cuando la persona que grababa trataba de protegerse de la balacera. Y volvía a enfocar al soldado herido arriba de la camioneta. De inmediato el médico de la unidad se arrodilló junto a él para prestarle los primeros auxilios. Entre la balacera se escucharon algunos gritos por parte del médico militar. Otro soldado le quitó el casco y se arrodillaba junto al herido. Otros dos ayudaban a cargarlo y lo colocaban dentro de una de las camionetas rápidas, alejándose del lugar.

Paola cambió el video a la transmisión en vivo de una de las televisoras nacionales, que estaba cubriendo el suceso.

Elías se llevó las manos a la cabeza.

—Capaz que todo esto ha sido en vano —dijo con un aire de desilusión.

CAPÍTULO 26

Cerca de Puebla, dos de los chachalmecas sacaban arrastrando a otro joven del sótano de la Casa del Diablo. El joven, de unos 20 años, tenía la piel como la cera azulada, los labios resecos y la mirada completamente ida. Afuera, cerca del pozo con la piedra circular, los esperaban tres chachalmecas más y El Muñeco, quien estaba con los ojos cerrados, parado, esperando por su próxima víctima. El tatuaje en sus párpados lo hacía ver de una manera macabra. Sin abrir los ojos, volteó hacia la puerta de donde estaban saliendo los chachalmecas con el joven, que comenzó a forcejear para soltarse.

El Muñeco, sin decir palabra, mostró al sol su daga de obsidiana, que brillaba con destelladas verdes, cual cristal color esmeralda.

—*Nacatl tepochtli, nimitstlatlauki* —dijo esto y abrió los ojos.

La esclerótica del ojo no era de color blanco como debería ser comúnmente, era una coloración amarillenta que se acentuaba con el negro de su iris.

—Carne joven… te lo pido, por favor —repetían al unísono los tres hombres junto a él.

Los otros dos estaban batallando para acarrear al joven que, a pesar de verse flaco y débil, estaba poniendo todo su esfuerzo en contra de los dos hombres que lo cargaban de las axilas y brazos.

—Al próximo vamos a tener que aumentarle la dosis —comentó uno de los chachalmecas que cargaba al joven.

—¡Silencio! —gritó El Muñeco—. Nada puede mezclarse con el rito sagrado —volvió a cerrar los ojos, levantó la daga al sol y repitió—: *Nacatl tepochtli, nimitstlatlauki.*

—Carne joven… te lo pido, por favor —repitieron los cinco hombres, mientras colocaban al joven sobre la piedra.

—¡No, no! ¡Por favor! —imploró el joven antes de que el chachalmeca le tapara la boca con la mano izquierda y le jalara el cuello con la derecha.

El Muñeco levantó la obsidiana con ambas manos y cerró los ojos.

—*Nacatl tepochtli, nimitstlatlauki.*

Pero en el momento en que bajó la daga con toda su fuerza, el joven recostado en la piedra se movió de posición y el cuchillo de piedra le dio en el esternón y se partió en dos.

Los ojos amarillos de El Muñeco destellaban chispas. Tenía el rostro desencajado del enojo. De la parte de atrás de su pantalón sacó una pistola Colt .45 y apuntó a cada uno de los chachalmecas.

—De tin marin, de Don Pingüe. Cucara macara, títere fue —cortó cartucho—. Yo no fui, fue Teté. Pégale, pégale, al que —detuvo el cañón de la pistola apuntando la frente del chachalmeca que agarraba el cuello y que había sido el que habló cuando traían al joven al patio— fue…

El sonido de la Colt 45 resonó en todo el vecindario.

—¿Lo encontraste? —preguntó Paola, en las afueras de La Casa Azul en Coyoacán.

Elías tomó la bolsa de papel y sacó un manuscrito en folio del siglo XVI. Las manos le temblaban, jamás, ni en su sueño más extraño, se había imaginado tener el *Nicān Mopōhua* en sus manos. Enmarcado en piel de lomo cuajado, un excelente trabajo de talabartería, el acabado, la costura a mano con cordones de piel, en la mitad de la carátula el ícono de la Virgen de Guadalupe, con ciertas diferencias de la imagen que conocemos actualmente. No tenía el angelito, ni la luna bajo sus pies, en su lugar estaba la maleza del cerro Tepeyac y los rayos que despide la Virgen no tenían ese resplandor de fondo. El título:

NICĀN MOPŌHUA
HUEI TLAMAHUIÇOLTICA
OMONEXITI IN ILHUICAC TLATOCAÇIHUAPILLI

SANTA MARIA TOTLAÇONANTZIN TECUATLASUPE
IN NICAN HUEI ALTEPENAHUAC
MEXICO ITOCAYOCAN TEPEYAÇAC
1649

Paola lo tomó entre sus manos. Sabía que tenía en su poder algo muy especial.

—¿Qué significa esto? —le preguntó al profesor, mostrándole la carátula.

—No sé náhuatl, pero esto ya lo había leído y estudiado anteriormente. Significa:

Aquí se narra
El gran acontecimiento
con que se le apareció la Reina Celestial
Santa María, nuestra querida madre de Tecuatlasupe,
cerca del gran Altepec de México, ahí donde llaman Tepeyac

Al terminar su explicación, Elías se recargó sobre su asiento.

—Jamás pensé tener entre mis manos el *Nicān Mopōhua* —con delicadeza y muy lentamente pasó los dedos sobre la portada de cuero. Al llegar al fondo del libro se detuvo bruscamente—. ¿1649?

Volteó a ver a Paola. Abrió el libro y comenzó a hojear las páginas: se veían sumamente frágiles y en mal estado, algunas tenían hoyos por la antigüedad.

—Diecisiete páginas. Hay una página más de la copia que fue subastada a la Biblioteca Pública de Nueva York.

—Entonces, ¿no es el *Nicān Mopōhua*? Me habías comentado que el original lo habían escrito veinticinco años después de la aparición de la Virgen en 1556. ¿Por qué este dice 1649?

—Sí, sí es, y está completo —comentó Elías, absolutamente maravillado—. Tiene diecisiete páginas. El *Nicān Mopōhua*, escrito en 1556 por Antonio Valeriano, podríamos describirlo como la máxima joya de la literatura náhuatl. La portada fue agregada en 1649 para proteger los pergaminos y guardarlos de mejor manera.

—Yo sé que es muy viejo, pero ¿una joya de la literatura náhuatl? ¿Por qué? —preguntó Paola.

—Por la ternura en la conversación entre la Virgen y Juan Diego, por el respeto que ambos se muestran. Y la manera en que se describen las apariciones en el Tepeyac —Elías colocó el manuscrito en sus piernas, cerró los ojos y recitó—: Desde la primera aparición la manera tan tierna que la Virgen se dirige a Juan Diego cuando le dice. «Hijo mío, a quien amo tiernamente, como a un hijo pequeñito y delicado, ¿a dónde vas?»

El profesor volvió a abrir los ojos y observó a Paola:

—El lenguaje y la actitud de la madre de Dios para con una persona humilde. Recuerda que Tenochtitlan tenía tan solo diez años de haber sido derrotada por los españoles, apenas cuarenta años atrás Cristóbal Colon había descubierto América, la nación azteca estaba en decadencia, era un pueblo que estaba desapareciendo.

—Pero ¿cómo es posible que Juan Diego a sus cincuenta y tantos años recordara las palabras exactas de lo que habló con la Virgen y veinticinco años después se lo describiera a Antonio Valeriano?

—Porque los mexicas tenían una excelente memoria ya que no había lápiz y papel para hacer sus anotaciones. Todo se lo aprendían de memoria —Elías pasó hasta la última página del *Nicān Mopōhua*—. Las primeras dieciséis páginas son de la versión original de los hechos sobre las apariciones de la Virgen de Guadalupe, contadas por el mismo Juan Diego.

El profesor tocó la página número diecisiete:

—Esta, la última página, debe ser la versión detallada por Juan Bernardino, el tío de Juan Diego.

—¿Qué tiene que ver el tío en todo esto?

—En 1531, la Virgen se les apareció a dos personas. A Juan Diego se le apareció cuatro veces en el cerro del Tepeyac y a Juan Bernardino una vez en su casa, cuando estaba a punto de morirse. A Juan Diego la Virgen nunca le reveló su nombre, solo le dijo que era la madre de todos los hombres, la madre del verdadero Dios, señor del cielo y de la tierra. Pero a Juan Bernardino sí le menciona su nombre y le dice que ella es la Virgen Tequatlasupe.

—¿Nunca mencionó que su nombre era Guadalupe?

—No —comentó Elías, mientras conectaba el teléfono al bluetooth del automóvil—. El nombre que le dice al tío de Juan Diego es la Virgen Tequatlasupe, que significa «la que aplasta a la serpiente».

—Y entonces ¿por qué se le llama la Virgen de Guadalupe?

—Porque cuando Juan Diego y Juan Bernardino explican sobre las apariciones de la Virgen lo comentan en náhuatl, no en español. Y a pesar de que el obispo fray Juan de Zumárraga tenía un traductor en su residencia, cuando le dicen el nombre, la Virgen de Tequatlasupe, los ibéricos entienden la Virgen de Guadalupe y así se le queda hasta nuestros días.

Elías estaba terminando su explicación cuando el celular, que seguía mostrando el video del ejército y los ladrones, se conectó en las bocinas del automóvil.

«Miembros del Ejército Mexicano tienen rodeados a los presuntos ladrones de la tilma de Juan Diego. Voceros de la SEDENA informaron que dieron con los autores del robo tras una llamada anónima», comentó el reportero, situado a unos cien metros de donde estaban los vehículos militares enfrente de la casa. «Al parecer la emboscada que esperaba el ejército no resultó, porque los ocupantes de la casa blanca los estaban esperando para repeler el fuego».

De repente el video se congeló, una videollamada estaba entrando al celular.

—Bueno —contestó Paola, poniendo el altavoz del teléfono. La pantalla estaba en negro, el audio se escuchaba, pero no había video.

—Doctora Zepeda. ¿Dónde está mi *Nicān Mopōhua*? —le preguntó John Balda, sin tapujos.

Paola volteó a ver a Elías.

—Profesor Ortega, espero por el bien de todos los católicos en el mundo que lo haya encontrado.

Elías tomó el celular y sin responder mostró en la videollamada la portada con los títulos del *Nicān Mopōhua*.

—Muy bien, profesor. Excelente doctora, sabía que podía contar con ustedes —la pantalla se mantenía en negro.

Elías se puso el teléfono en frente y le dijo:

—Me imagino que debes de tener prisa por tener el ejército afuera de la casa.

—Me extraña, profesor, que seas tan ingenuo —manifestó el sacerdote—. Saben lo fácil que es hacer una copia de la manta de Juan Diego. Tamaño natural, idéntica a la original.

—Pero el ejército…

—El ejército está persiguiendo humo —el monitor del celular se prendió con la imagen de la Virgen de Guadalupe. La manta estaba recostada sobre una larga mesa de madera—. Y para que vean un poco más…

El sacerdote caminó por la puerta afuera de la casa y dio una vuelta de 360 grados, para ver todo a su alrededor. Cambió la cámara y en la pantalla del celular apareció la cara del sacerdote. Cerró el puño de la mano izquierda mientras tomaba el celular con la derecha y al mejor estilo de un mago se sopló el puño, abriéndolo lentamente.

—Ellos están persiguiendo humo —miró el reloj en la muñeca izquierda—. Tienen dos horas para entregarme el *Nicān Mopōhua* —la comunicación se cortó.

Un *ping* sonó en el celular. En la aplicación de mapas apareció una dirección.

CAPÍTULO 27

Cerca de la costa de Japón, una de las boyas que utilizaba el Sistema de Detección de Tsunamis del Pacífico mandó una alerta a todos los países colindantes con este océano.

En América: Canadá, Estados Unidos, México, Guatemala, Honduras, El Salvador, Nicaragua, Costa Rica, Panamá, Colombia, Perú, Ecuador y Chile.

En Oceanía: Australia, Nueva Zelanda y Nueva Guinea.

En Asia: China, Japón, Corea del Norte y del Sur, Singapur, Indonesia, Taiwán, Tailandia, Filipinas y Vietnam.

La NOAA[2] era la encargada de monitorear todos los sensores de presión situados en el fondo del mar cuando había alguna irregularidad con la masa de agua en movimiento, activando una señal que era recibida por la boya en la superficie, mandando una señal vía satélite con todos los datos recaudados como la presión barométrica, la velocidad de la ola, tamaño, dirección y temperatura tanto del agua como del viento. Toda esta información era enviada al ITIC,[3] departamento coordinado por las Naciones Unidas, información que era transmitida instantáneamente a todos los países que podían ser afectados.

En las oficinas del CENAPRED, el director general Pablo Orejón estaba muy atento a la página de la NOAA, en la que se percibía el mapa del océano Pacífico y a su alrededor los continentes americano, asiático y de Oceanía. Arriba en la página de internet, una franja roja con el título: *TSUNAMI WARNING*.

---

2 National Oceanic and Atmospheric Administration, por sus siglas en inglés.
3 International Tsunami Information Center.

Event Information
Location: ABOUT 130 MILES SOUTHWEST OF MARIA-
NAS TRENCH
Magnitude: 8.5
Event Depth: 6.8 miles
Lat: 17.7500'N
Lon: 142.5000'E

—Japón, Nueva Guinea, Filipinas y Taiwán serán los primeros países en sentir los efectos de este tsunami —comentó Pablo Orejón, mientras veía en el monitor principal de la pared
la inmensa línea blanca que recorría a 740 kilómetros por hora
el océano Pacífico. Tomó el teléfono y volvió a marcar a la residencia de Los Pinos, donde vivía el presidente de la República.

—Señor presidente, la cosa es peor de lo que pensamos. En
diez horas, los estados de Baja California, Sonora, Sinaloa, Na-
yarit, Jalisco, Michoacán, Guerrero, Oaxaca y Chiapas serán
embestidos por un tsunami. Según los cálculos de la NOAA,
las olas podrían llegar a medir entre cuatro y diez metros de
altura.

Paola y Elías estaban llegando al punto señalado en los mapas del celular. La doctora Zepeda sacó la libreta de notas de su
bolso e hizo las últimas anotaciones.

NICĀN MOPŌHUA
1531 Aparición de la Virgen en el Tepeyac
1556 Antonio Valeriano escribe el Nicān Mopōhua
1851 Exministro José Fernando Ramírez es desterrado y se lo
lleva
1880 Una copia se subasta a la Biblioteca Pública de Nueva
York
1929 Madre Conchita se lo roba del convento
1950 Frida lo guarda en un corsé
Hoy pasa a manos de John Balda

Elías aplanó el botón de encendido para apagar el auto. Ninguno de los dos se movía o trató de salir. Paola volteó a ver su reloj, faltaban diez minutos para que se cumpliera el plazo marcado por John Balda.

De la puerta principal salieron los dos enfermeros Dimas y Gestas. Uno de ellos portaba una Beretta PX45 Storm y el otro traía la ametralladora del Ejército Mexicano, una FX-05, mejor conocida como el Xiuhcóatl. Con un gesto de la cabeza, Dimas les indicó que se bajaran del automóvil.

Las imágenes de la casa no podrían ser más dantescas: los dibujos en la pared hechos con piedras incrustadas eran por demás símbolos diabólicos. Los marcos de las ventanas mostraban el esquema de una iglesia de cabeza. Otros símbolos hacían referencia al vía crucis de Jesús. La corona de espinas, los clavos, la cruz, incluso algo que asemejaba al paño de la Verónica, con el rostro de Jesús llorando sangre.

Pero lo que más le llamó la atención a Paola fue en la entrada de la residencia los dos simios, mostrando sus genitales con patas de gallina, sonriendo con la lengua afuera, portando capuchas eclesiásticas.

«Esto es apocalíptico, sin lugar a duda», pensó la doctora. Sin cruzar palabras ambos entraron a la residencia.

—Llegan justo a tiempo, vean lo que encontré —les dijo el arzobispo, con gran emoción, como si fueran viejos amigos.

Elías trajo consigo la bolsa de papel con la que salió de La Casa Azul en Coyoacán.

—¿Me imagino que ahí me trae lo que les encargué? —apuntó a la bolsa el arzobispo, caminando hacia la sala de la casa.

En el sillón de la esquina los esperaba El Muñeco.

A pesar de que las cortinas estaban cerradas, el cuarto estaba muy bien iluminado por cuatro reflectores de 25 centímetros de diámetro, equipados con pinzas de soporte, y en cada reflector dos lámparas General Electric BCA n. 81 de 115-120 volts y 500 watts. No obstante las ocho lámparas, no se percibía calor, ya que estas lámparas eran especiales para no despedir mucha energía. Al ingresar en la sala, Paola y Elías vieron la tilma de la Virgen de Guadalupe en un restirador de madera. Instintivamente, Paola tomó la mano del profesor, y a la misma vez sintió que le faltaba la respiración.

Elías supo que esta era la tilma verdadera de Juan Diego al distinguir la mancha amarillenta en la esquina derecha, producto de un accidente de uno de los trabajadores de la iglesia en 1791, que al estar limpiando el marco de plata con una solución que contenía ácido nítrico accidentalmente lo derramó sobre el ayate. El ácido nítrico es tan violento que hubiera destruido las fibras vegetales del maguey, y con el paso de los años hubiera creado un agujero en la tilma. Pero nada de esto sucedió, el ácido nítrico solo causó unas manchas de color amarillo y café en la esquina derecha, que ha ido desapareciendo con el paso de los años.

—Vean esto —les dijo el arzobispo, señalando la computadora en la mesa contigua—. La temperatura de la manta se mantiene siempre en 36,6 grados centígrados, la misma temperatura de un ser humano. Pero hay mucho más —comentó el arzobispo—. Hice un procesamiento de la imagen, utilizando el sistema VP-8 Image Analyzer, sistema que fue concebido originalmente para fotografías aéreas de montañas o valles y poder verlas en 3D en la computadora, convirtiendo la luz y las sombras de una fotografía normal de dos dimensiones en una imagen tridimensional. Utilizando este mismo sistema en la imagen de la Virgen de Guadalupe, comenzamos a ver el contraste que tiene que ver con la altura y la profundidad en distancia real.

Paola y Elías veían la imagen con esmero y se podría decir que la veían con cierto amor. Por instinto, los dos sonreían como cuando se ve a un recién nacido por primera vez.

Se alcanzaban a ver los labios de la Virgen, su nariz afilada, los pómulos de una joven adolescente y su pelo fino que caía sobre su hombro derecho debajo de la manta que la cubría. Toda la imagen tenía dimensiones. Toda, excepto la luna, el angelito bajo sus pies y los destellos que salen detrás de la Virgen.

—Es el mismo proceso que utilizaron en el Sudario de Turín —comentó Elías.

—Correcto, profesor, por esa misma razón mandé a traer este sistema para dar con todos los detalles escondidos en la tilma —le respondió Balda.

—Pero ¿para eso se robaron la imagen más venerada del mundo católico? ¿Para verla en tres dimensiones? —respondió el profesor.

—No, claro que no, profesor. Esto va mucho más allá de lo que nos ha dicho la Iglesia o cualquier libro de religión —se le acercó y le pidió la bolsa de papel que tenía bajo el brazo—. Y para eso necesito esto...

Al tomar el *Nicān Mopōhua*, El Muñeco se levantó de su asiento y caminó hacia la mesa, donde el obispo colocó la bolsa de papel.

—Pero siéntense, por favor, esto puede durar un poco más.

Dimas y Gestas cerraron la puerta de la sala, uno veía detenidamente a Elías y el otro a Paola.

—Espero que cumpla su palabra. El canje de la tilma por el *Nicān Mopōhua* —le dijo Paola.

—Doctora, yo siempre he sido un hombre de palabra. No se me desespere —le respondió Balda.

El Muñeco tomó el *Nicān Mopōhua* entre sus manos y lo abrió hasta la última página. La número 17. Y comenzó a leer:

—*Sasanili – Cuauhtlahuac tokaitl Juan Bernardino teikautli Motekusoma Xokoyotsin Yaokiski Otumba*. Narración de Cuauhtlahuac de nombre Juan Bernardino, hermano menor de Moctezuma II guerrero de la batalla de Otumba.

El sacerdote lo interrumpió, mientras tomaba nota de la lectura.

—Doctora, ¿usted sabe lo que significa México en náhuatl?

—No.

El sacerdote volteó a ver al profesor y le preguntó:

—Profesor, ilumíneme.

—«Ombligo de la luna» —respondió Elías.

—Exactamente bien contestado —gritó el sacerdote, como si fuera el anfitrión de un juego de la televisión.

Tomó su celular y puso música clásica. Era la sinfonía en *E mayor* de Richard Wagner. El cuarto se llenó de los sonidos de violines e instrumentos de viento.

—México es una palabra compuesta, que viene del *Metztli*, que significa Luna, y *Xictli*, que significa ombligo, y *Co*, que significa lugar. El «ombligo de la luna».

Subió las manos a la altura de su cabeza, se comenzó a menear al vaivén de la música clásica. Miró al profesor y le preguntó:

—Sabía, profesor, que Juan Bernardino, el tío de Juan Diego, era el hermano menor de Moctezuma.

Sin esperar respuesta, continuó:

—¿Y que fue uno de los guerreros aztecas que peleó ante Hernán Cortés en la Batalla de Otumba?

—Sabía que existía una relación. Pero no sabía que era su hermano menor —respondió Elías.

—Todos los días se aprende algo nuevo —Balda continuó bailando al son de la música—. Guerrero, en la Batalla de Otumba. Esta fue la guerra decisiva entre aztecas y españoles. La guerra que cambió el curso de la historia. Los españoles venían de perder la batalla en la llamada Noche Triste. Pero Hernán Cortés, siendo un militar de profesión, supo cómo enmendar los errores cometidos en la batalla anterior. Se dio cuenta de que el propósito de los guerreros aztecas era capturar vivos a sus enemigos para después sacrificarlos a sus dioses. Ese fue el grave error de los aztecas. Si hubieran atacado a matar —dijo, haciendo gestos de esgrimista— hubieran ganado fácilmente. Pero Hernán Cortés, siendo un soldado hecho y derecho, hizo una estrategia de círculo, eliminando y resistiendo cada ataque por parte de los aztecas —hizo una seña a El Muñeco para que continuara su lectura del *Nicān Mopōhua*.

—*Altepekalokoayan Mexiko Tenochtitlan altepekixoayan Kuautemalan tlaukia teokuitlatl teokuitlapiali – teokuitlama-*

temekatl – teokuitlakoskatl okichtli teyaochiuani yaokiski Tella-mamaltia tlapoua yeipohualli ihuan caxtolli ihuan ome Nelto-namitl tonatiukan tonaltin nenemi tlapatskayotia Motekusoma. – Del acceso de la Ciudad de México a la puerta de la Ciudad de Guatemala llevar a cuestas el oro, cadenas de oro, collar de oro – hombres jorobados, jóvenes y guerreros cargaron tributo a Moctezuma II.

Elías estaba perplejo de lo que estaba escuchando. El tesoro de Moctezuma no era un mito, existía, y el *Nicān Mopōhua* lo ratificaba. Todo lo que María les había dicho. Todo era verdad.

El Muñeco prosiguió leyendo el pergamino:

—*Xokoyotsin Tlamamaltemouia tlakamichtli koyoktik ko-youak tlajko asesek ateskatl atlimopiloayan kuetspamitl.* – Con-taron atrás del setenta y siete resplandor más allá del sol a la mitad – Descargaron – hombre pez agujero circular grande al sótano agua fría y transparente con corriente y cola de lagarto.

Los ojos amarillos de El Muñeco brillaban con cada frase que leía del documento vetusto y polvoriento.

—*Kuk ulkan tlapoua yeipohualli ihuan ome nenemi tonalti-ka tlakati tonatiuh* – De la serpiente emplumada atrás del se-senta y dos donde nace el sol.

El Muñeco tomó su tiempo para que el obispo hiciera sus anotaciones.

—*Tlakuilo Marcos – ikniutli tokaitl Juan Bernardino nauat-lajto chachalakatlajtoa Ikampa Neltonamitl tonatiukan* – Pin-tor Marcos – amigo de Cuauhtlahuac de nombre Juan Bernar-dino hablante azteca dictó las palabras atrás más allá del sol.

—¿Eso es todo? —preguntó John Balda.

—Lo último que dice es: *Teopixki Franciskano Bustamante mali tlatsakua tlapatskayotia kaltsakualk ixiptli tlatlapana* – Sacerdote franciscano Bustamante desterrado pagó sentencia en prisión por romper o alterar la imagen.

El Muñeco cerró el libro.

—Unos le llaman el tesoro de Moctezuma, otros le llama-ban El Dorado, la ciudad perdida hecha de oro. Por más de quinientos años, cientos de hombres han buscado por todo el continente y jamás han encontrado nada. Porque no tenían las dos piezas claves del mapa, la tilma de Juan Diego y el *Nicān Mopōhua*. La descripción exacta de los dos hombres que vieron con sus propios ojos la aparición de la Virgen de Guadalupe —el sacerdote se acercó donde estaban sentados Paola y Elías—. ¿Comprenden lo que esto significa?

—Sí, sí, el sitio donde encuentras el tesoro es propiedad de alguien. Le tienes que dar la mitad a esa persona. Y si es territorio nacional, le tienes que dar la mitad al Estado —respondió Elías.

En la esquina opuesta, El Muñeco se reía sin decir palabra.

—Como hubiera dicho Dan Quayle: Potatoe, Potato —le refutó el obispo—. No, profesor. Significa que el tesoro de Moctezuma es real. Que hay toneladas de oro y joyas escondidas en el sur de México.

John Balda tomó su libreta y comenzó a leer:

—Narración de Cuauhtlahuac de nombre Juan Bernardino – hermano menor de Moctezuma II guerrero de la batalla de Otumba. Del acceso de la Ciudad de México a la puerta de la Ciudad de Guatemala llevar a cuestas el oro, cadenas de oro, collar de oro – hombres jorobados, jóvenes y guerreros cargaron tributo a Moctezuma II. Contaron atrás del setenta y siete resplandor más allá del sol a la mitad – Descargaron – hombre pez, agujero circular grande al sótano agua fría y transparente con corriente y cola de lagarto. De la serpiente emplumada atrás del sesenta y dos donde nace el sol. Pintor Marcos – amigo de Cuauhtlahuac de nombre Juan Bernardino hablante azteca dictó las palabras atrás más allá del sol —hizo una pausa el sacerdote, y comentó—: Ahí está la clave, el pintor más reconocido en esa época en México era el Indio Marcos, quien por orden del sacerdote franciscano Bustamante alteró la imagen de la Virgen para estar más acorde con las creencias de los españoles, añadiendo el ángel, la luna y el resplandor. Por eso, el *Nicān Mopōhua* culmina diciendo que fue desterrado, pagó sentencia en prisión por romper o alterar la imagen.

—¿Cómo se imaginó que la tilma de Juan Diego y el *Nicān Mopōhua* tenían una conexión con el tesoro de Moctezuma? —preguntó Elías.

—Todo gracias a usted, profesor —le respondió el sacerdote.

En menos de un segundo, Elías repasó todas sus memorias y libros, tratando de recordar algún momento donde mencionara el tesoro de Moctezuma. No recordaba ninguno.

—No sé a lo que se refiere. ¿Por qué gracias a mí?

—Su libro *El misterio de la Guadalupana*. ¿Recuerda lo que le dijo el arzobispo de Zumárraga a Juan Diego cuando le mostró la imagen de la virgen por primera vez? —sin darle tiempo a responder, el sacerdote prosiguió—: Le dijo: «De tus hombros pende el tesoro más grande, que en la tierra jamás se ha hallado».

—Sí, pero siempre lo hemos visto de una manera metafórica.

—Me extraña, profesor. Recuerde que el primer libro sobre la aparición de la virgen es el *Nicān Mopōhua*.

—Sí, lo sé. Que se escribió veinticinco años después de la aparición.

—Para ese entonces fray Juan de Zumárraga ya había fallecido. Él, durante toda su vida, se negó rotundamente a que la Iglesia católica retocara la imagen de la Virgen. Pero cuando falleció en 1548, la Iglesia y los españoles tuvieron vía libre para hacer la culminación pictórica en la tilma de Juan Diego —comentó John Balda, colocándose al lado de la tilma sobre la mesa, apuntando a los añadidos—. ¿Cómo era posible que la madre de Nuestro Señor Todopoderoso se hubiera olvidado de los ángeles, de la luna y para colmo este collar con un emblema de la cruz?

El sacerdote vio detenidamente la imagen del angelito a los pies de la Virgen de Guadalupe.

—El ángel, agarrando con la mano derecha el manto de la Virgen y con la mano izquierda su falda, mostrando de una manera simbólica que es la mediadora entre Dios y los hombres, entre el cielo y la tierra —Balda se volteó a ver a Elías y le dijo—: Pero aun más importante fue pintar a la Virgen parada sobre la luna negra. Y esta fue una petición especial de los reyes de España.

La luna creciente era el símbolo de los moros, que habían conquistado España. Ahora mostraban a la Virgen como la conquistadora de ambos, de los moros y de los cristianos.

CAPÍTULO 28

Una vez más la plataforma rodante con el espectrómetro y la Flir E-8 comenzó a moverse lentamente sobre la imagen de la Virgen de Guadalupe. Las luces rojas de ambas cámaras se prendieron para señalar que estaban grabando. Los rayos infrarrojos invisibles al ojo humano rebotaron 300 000 kilómetros por segundo de la tilma a la cámara y de la cámara a la pantalla de la computadora. Las cámaras se enfocaron específicamente en el aura alrededor de la Virgen. La imagen térmica captó algo nunca antes visto en la tilma de Juan Diego. A la altura del vientre, la distribución de la temperatura no era la misma que en el resto de la tela. Los colores se ponían más vivos, el calor era más intenso por un par de grados.

—Increíble —comentó Paola, viendo la imagen en la computadora—. Es el mismo calor que muestra una mujer embarazada.

La doctora Zepeda se refería al nuevo sistema de termografía que se estaba utilizando en algunos hospitales para evaluar de una manera no invasiva a las mujeres durante el embarazo y el parto.

—Por eso la Virgen lleva ese listón negro —le respondió Elías, con el mismo asombro viendo la imagen en el monitor—. Según los mexicas, el cinto que cae en dos extremos trapezoidales marca el embarazo de la Virgen. Representa el fin de un ciclo y el nacimiento de una nueva era.

De repente el sacerdote apagó los reflectores.

—Abran las cortinas y las ventanas —le ordenó a Dimas y Gestas.

La luz de la luna se reflejó en el manto de la Virgen, los pigmentos cromáticos destellaban en la tilma. Inexplicablemente los colores originales de la pictografía comenzaron a cambiar de tonos. El resplandor y la irradiación de los colores cambiaban ligeramente con la luz de la luna. Paola y Elías estaban anonadados por lo que estaban viendo.

—Solo hoy y mañana tendremos la alineación de la luna, Marte y la Tierra, esto sucede cada quince años.

—Ese cambio de colores. Esa iridiscencia, es una técnica que solo se puede hacer con una computadora. Entonces esto sucede cada quince años de manera natural —le dijo Elías a Paola.

—Así es, profesor —le respondió el sacerdote—. La imagen cambia ligeramente de color con la luz de la luna, alineada con Marte.

—Entonces, ¿por eso los ajustes en el carrillón de la basílica? —preguntó Paola.

—¿De qué ajustes me habla? —le replicó Balda.

La plataforma rodante siguió moviéndose milímetro a milímetro sobre la tela.

—¿Viste eso? —le dijo El Muñeco al sacerdote.

—¿Qué?

—Regresa unos centímetros, en la parte derecha del torso. Donde están los rayos solares a la altura del vientre en la parte izquierda de la Virgen —dijo El Muñeco, acercándose a la pantalla, apuntando con el dedo—. ¡Eso!

La Virgen estaba rodeada de rayos dorados que formaban un aura luminosa, indicando que era la madre del sol. La termografía mostraba que los rayos del sol brillaban con más intensidad a la altura del vientre. Pero cambiando la imagen a infrarroja, apenas se alcanzaban a distinguir unos números y una letra casi microscópicos en los destellos del sol atrás de la Virgen.

636 T

—636 T —dijo El Muñeco—. Pero ¿qué significa eso? —volteó a ver con esos ojos amarillos a John Balda, que siguió tomando notas en su libreta.

—636 T. No tengo la menor idea. Y seguro que no leíste nada en el *Nicān Mopōhua* que hiciera mención del número 636, ¿cierto? —preguntó el sacerdote.

—No, el único número que menciona es el 77 —respondió El Muñeco, sin dejar de ver el monitor.

El armazón rodante donde estaban empotradas las cámaras terminó el mapeo de la parte izquierda y pasó de un solo movimiento hacia los rayos solares a la derecha de la Virgen, comenzando de abajo arriba, pasando por la luna pintada de negro. La microespectrofotometría, mandando un haz de luz ultravioleta, viendo los detalles microscópicos dentro de las fibras de la tilma y al lado la cámara infrarroja, transmitiendo rayos con ondas de luz entre 700 nanómetros y 1 milímetro, razón por la cual eran imperceptibles al ojo humano, que solo puede ver luz en el rango de 380 a 700 nanómetros. Esto incluye los colores rojo, naranja, amarillo, verde, azul, morado y todos los colores combinados entre estos.

Cuando la plataforma rodante pasó por la altura del vientre:

—¡Detenla! —gritó el sacerdote—. Ahí, hay más números.

John Balda se acercó más al monitor y le hizo un acercamiento a la imagen infrarroja.

40 T

—636 T en la izquierda y 40 T en la derecha —cabizbajo, el sacerdote se quedó pensativo—. Pero ¿qué significan? Parece que el pintor Marcos no quiso dar más pistas.

El Muñeco sacó la Colt Elite Commander .45 y se la colocó en el pecho, tomándola con la mano derecha.

—Yo creo que el profesor sí sabe lo que esto significa. ¿Verdad, profe?

—Lo siento mucho. No sé de qué se tratan esos números —respondió Elías, acomodándose en el asiento.

El sacerdote, sin decir palabra, se alejó de la sala.

Con la mano izquierda, El Muñeco cortó cartucho.

—Cinco segundos, profesor, para que me comience a dar una explicación lógica.

El cañón de la .45 estaba directamente en el rostro de él.

—Que no sé a lo que se refiere —le refutó Elías.

—Cinco, cuatro, tres... —de apuntarle el cañón a él cambió a apuntarle al rostro de Paola—... dos...

—¡Espera! —gritó Elías, poniéndose de pie entre el asiento de Paola y el asiento de El Muñeco.

Paola lo miró detenidamente. Nunca nadie había dado su vida por ella.

El sacerdote regresó a la sala. Y se preparó para tomar nota.

Elías comenzó a hacer su exposición para tratar de decodificar el mensaje.

—La Virgen tiene 129 rayos solares que forman un halo luminoso. Sesenta y dos por el lado derecho y setenta y siete por el lado izquierdo... ¿Qué es lo que menciona Juan Bernardino en la última página del *Nicān Mopōhua*? —le preguntó al sacerdote Balda.

Balda comenzó a leer sus notas:

—Del acceso de la Ciudad de México a la puerta de la Ciudad de Guatemala llevar a cuestas el oro, cadenas de oro, collar de oro – hombres jorobados, jóvenes y guerreros cargaron tributo a Moctezuma II. Contaron atrás del setenta y siete resplandor más allá del sol a la mitad – Descargaron – hombre pez agujero circular grande al sótano agua fría y transparente con corriente y cola de lagarto.

Elías continuó su explicación:

—Contaron atrás del setenta y siete resplandor. Esos son los setenta y siete rayos de la izquierda de la Virgen. Ahí estaba el número 636 y la letra T. Desde el tiempo del hombre de las cavernas, la humanidad se vio en la necesidad de crear un sistema de medidas. Los aztecas medían en varas llamadas Tlalquahuitl o T, lo que equivale a 2,5 metros. Eran excelentes en sus medidas y esto se nota en la mayoría de sus construcciones.

Elías dio dos pasos y medio. Continuó decodificando los números escritos por el Indio Marcos hacía quinientos años.

—El emplear fracciones de unidad en sus sistemas de medición permitió a los aztecas determinar con gran precisión el área de terrenos irregulares o con relieves. Por lo tanto, si los guerreros, jóvenes y hombres jorobados caminaron 636 T hacia el sur, eso viene siendo... 1590 kilómetros —Elías volteó a ver a El Muñeco, que mantenía su pistola encañonando a Paola.

—Entonces ¿está señalando a Guatemala? —preguntó el sacerdote.

—No necesariamente. Esa área del sur de México había sido territorio de los mayas. Cuando la cultura maya estaba en su apogeo, fue 400 años antes de que los aztecas comenzaran a dominar el valle de México. Los mayas estuvieron en el sur de México y parte de Centroamérica. Al extinguirse esta civilización, cientos de sus pobladores se fueron a vivir con los aztecas en Tenochtitlan, por eso hay ciertas similitudes entre las dos culturas. Ambas eran politeístas, es decir, que creían en varios dioses dentro de su mitología, prácticamente tenían dioses para todo tipo de propósitos. Si viajaron hacia el sur, fue por un motivo muy especial —dijo Elías, acercándose a la computadora—. Si nos ponemos a pensar como los aztecas hace quinientos años, ¿cuál era el punto más importante en el sur de México en ese entonces?

—Chichén Itzá —respondió inmediatamente el sacerdote.

Abrió un mapa en el navegador de la computadora. Colocó en un punto *Tenochtitlan* y en el otro punto *Chichén Itzá*, esperando un par de segundos por el resultado. Levantó la vista y sorprendido, dijo:

—1590 kilómetros.

Volvió a la computadora y cambió la forma de viaje de un automóvil a una persona caminando.

—Les tomó 322 horas caminando.

El sacerdote hizo una pausa y dijo:

—Es imposible que estemos hablando de Chichén Itzá, ahí los arqueólogos han excavado por todos lados.

—Es que no está en Chichén Itzá. Ese fue solo un punto de descanso para los cargadores, por eso hay otra frase en la penúltima oración del *Nicān Mopōhua* —señaló, para que el sacerdote leyera sus notas.

—De la serpiente emplumada atrás del sesenta y dos donde nace el sol.

Elías se quedó pensativo por un segundo. Bajó la mirada tratando de recordar las cifras y números.

—Ya lo dijo en náhuatl Kukulkán, la serpiente emplumada. Durante el equinoccio de primavera es cuando se produce el descenso del dios Kukulkán por las escalinatas de la gran pirámide. Si ellos viajaron al sur de Tenochtitlan, meses antes de caer ante los españoles en el mes de agosto, entonces estamos hablando más o menos de los meses de la primavera marzo o abril. En el manto de la Virgen tenemos 636 T en la izquierda y 40 T en la derecha. De Chichén Itzá serían 40 T hacia el este, donde nace el sol. Esto viene siendo… cien kilómetros exactamente.

El sacerdote volvió a la computadora y escribió cien kilómetros al este de Chichén Itzá. Checó sus notas, leyendo:

—Descargaron – hombre pez, agujero circular grande al sótano agua fría y transparente con corriente y cola de lagarto.

John Balda hizo más anotaciones en su libreta. Levantó la vista y comentó:

—Es un cenote —dijo. Luego, dirigiéndose a El Muñeco—: Aquí están las coordenadas.

LATITUD 20.615471
LONGITUD -89.33369

—Excelente —respondió El Muñeco—. Voy a mandar la orden para tener todo listo a nuestra llegada.

Elías se levantó de la silla.

—Cumplimos nuestra parte del trato. Nos vamos y nos llevamos la tilma de Juan Diego.

—Alto, profesor —replicó El Muñeco—. Todo hubiera estado bien hasta que nos dijo todo donde está el tesoro. Y pues usted comprenderá que no lo podemos dejar ir así por así. ¿Verdad?

—Pero un trato es un trato —respondió Paola, levantándose de su asiento—. Eso fue lo que quedamos con usted —dirigiéndose al sacerdote.

—Qué le digo, doctora. Yo me lavo las manos como Poncio Pilatos. Ahí entiéndanse con él —dijo, señalando a El Muñeco—. Ah, y antes de que se me olvide. Profesor, ¿ya le contó a la doctora cómo mató a su papá? —dijo, y dándose media vuelta se retiró de la sala.

Con la mirada perdida y completamente estupefacta, Paola volteó a ver a Elías, que como un lince se lanzó sobre el sacerdote. Pero en un solo movimiento, Gestas lo interceptó con la cacha de la ametralladora justo en la nuca. Un golpe sólido que lo mandó al suelo inconsciente.

CAPÍTULO 29

Un terrible dolor de cabeza embargó a Elías al comenzar a abrir los ojos. La oscuridad era casi total. Apenas un haz de luz se visualizaba por debajo de la puerta. Pero más incómodo que el dolor de cabeza era la hediondez que se sentía en ese lugar. La fetidez era casi insoportable. A su lado Paola aguantaba su blusa sobre nariz y boca.

—¿Dónde estamos? —preguntó Elías.

Paola ni siquiera se inmutó en voltearlo a ver. El silencio hablaba por sí mismo. En la otra esquina del sótano, una voz varonil le respondió:

—Estás en el sótano del infierno.

Un joven semidesnudo salió de las penumbras. Su rostro, flaco y pálido, tenía el pómulo inflamado, el ojo derecho entrecerrado por la hinchazón. En el abdomen tenía una herida, que se la tapaba con la mano derecha. Su brazo presentaba marcas de venas esclerosas por el prolongado uso de drogas.

—Aquí todos pagamos nuestros pecados en la tierra —comentó el joven.

—¿Hace cuánto estamos aquí? —volvió a preguntar.

Elías sabía del por qué el silencio de Paola, pero trataba de evitar el tema.

—Hace una hora, un día o una semana. Qué importa. La única manera de salir es por el purgatorio —volvió a interceder el muchacho.

Paola se levantó y se fue al otro rincón del cuarto para atender la herida del joven, que seguía sangrando profusamente del abdomen.

—No sabía que el teniente coronel Zepeda era tu padre —le dijo Elías a Paola—. Bueno, lo supe cuando me comentaste que tu padre había sido asesinado en una redada en Michoacán —Elías bajó la cabeza y con cierta vergüenza le dijo—: Estaba esperando el momento adecuado para decirte todo lo que pasó. Lo siento mucho.

Paola ni siquiera lo volteó a ver.

Elías comenzó a recordar hechos que le había tomado muchos años tratar de olvidar.

—Estábamos en la selva de Parangaricutiro, en el Estado de Michoacán. La guerra en contra del narcotráfico se había vuelto muy violenta, en especial por la disputa de territorios. En ese año, ya se habían registrado más de 29 mil homicidios. En medio de todo esto, estaba el ejército tratando de eliminar algunas de las células que sembraban drogas y a la vez provocaban terror en la región. Nuestra unidad consistía en dieciocho soldados y dos agentes federales, ya habíamos destruido cuarenta y tres sembradíos, sumando más de treinta hectáreas en plena selva michoacana.

El profesor hizo una pequeña pausa.

—Estábamos en el último día de la operación cuando dimos con un enorme plantío de coca y amapola en la falda de la sierra. Pero estos campesinos no eran los campesinos comunes y corrientes como los que habíamos encontrado en los otros sembradíos. Era una banda bien organizada, con armas automáticas de alto calibre, lanzagranadas y varios francotiradores. Alguien les había dado el pitazo de que íbamos para allá y nos tendieron una emboscada. Por varias horas nos mantuvieron al margen, sin poder ingresar al plantío.

Elías bajó la mirada, sus ojos no estaban enfocados en nada en particular, se veía que le dolía recordar estos eventos.

—El jefe de nuestra unidad de erradicación de narcóticos era tu padre. Todos lo conocíamos como el teniente coronel Zepeda, una persona muy valiente e inteligente —volteó a ver a Paola, que seguía sin prestarle atención, colocando un pedazo de tela como venda alrededor del estómago del joven—. Pero teníamos todo en nuestra contra. Cada vez se sumaban más y más guerrilleros. Además, el terreno, la posición de campo era favorable para ellos. Uno de los agentes federales, que no llevaba casco, fue herido de gravedad al recibir un disparo en la cabeza. Un cabo de sanidad y el subteniente comenzaron a atender su herida. Pero recuerdo muy bien que todo era en vano. Tenía la mirada perdida, sus ojos en blanco, no tenía ninguna reacción. Tras sufrir tres bajas en nuestra unidad, solicitamos la ayuda de la Fuerza Aérea. Al principio pensamos que mandarían dos helicópteros artillados UH-60M Black Hawk, pero cuando se dieron cuenta de que tardarían más de media hora en llegar nos pidieron las coordenadas para mandar un misil teledirigido 9k38 Iglá de fabricación rusa adonde estaban los sicarios. Por lo general este tipo de cohete es utilizado superficie-aire, pero con las coordenadas exactas o con un rayo infrarrojo se puede usar en contra de tanques o combate urbano —Elías se enfocó tratando de recordar todos los detalles—. El problema de estos sistemas es que son caros y no del todo fiables. El teniente coronel, tu papá, me mandó a flanquear a los guerrilleros por la cordillera de la izquierda, cerca de donde teníamos los vehículos, para tratar de empujar a los narcos, dentro de un triángulo y tener más éxito en el bombardeo. A pesar de la gran diferencia entre ambos bandos, poco a poco los fuimos sometiendo al centro del triángulo. El cabo que controlaba el misil teledirigido estaba en mi grupo. Recuerdo muy bien que puso las coordinadas exactas. Latitud y longitud del centro del triángulo.

El profesor cerró el puño izquierdo, lo tomó con su mano derecha y lo colocó enfrente de su boca.

—Para ese entonces, llevábamos varios días durmiendo en la selva. Con el misil ya en el aire, el cabo me indicó que necesitaba cambiar la batería del GPS, a lo cual yo le dije que lo hiciera...

Elías volteó a ver a Paola. Los ojos de ella estaban llenos de lágrimas. Nunca había escuchado esta versión.

—Cuando reinició la computadora del GPS, las coordenadas geográficas del misil habían cambiado. En ese momento me di cuenta de que la longitud era la misma, pero la latitud había cambiado. El DMS, las coordenadas geográficas en grados decimales, estaban equivocadas. El cabo trató de corregir el error. Pero era muy tarde para cambiar la dirección del misil. Traté de comunicarme por el *walkie-talkie* para alertarlos sin obtener respuesta. Eso fue todo lo que recuerdo, dos semanas después desperté en el hospital militar. Once soldados y un agente federal perdieron la vida ese día. Y nueve de esas muertes fueron por culpa mía. La muerte de tu padre...

Elías tragó saliva y tomó un largo suspiro.

—La muerte del teniente coronel Federico Zepeda fue culpa mía, por lo cual estoy sumamente apenado. No hay un día que pase que no piense en ese día. Y todo por haber dado la orden de cambiar una batería.

—Yo tenía diez años cuando me dijeron que mi padre había fallecido —dijo Paola, con las lágrimas corriendo por sus mejillas—. Pero nunca me habían dicho que su muerte había sido a causa de fuego amigo. ¿Y qué pasó después?

—Cuando salí del hospital fui llevado ante el tribunal militar, donde se me realizó una corte marcial. La Policía Ministerial Militar y el Ministerio Público determinaron que no había sido un fratricida, que había sido un error humano, sin dolo. Pero, aun así, se me exigió solicitar mi baja del ejército. Ellos, para evitar la mala publicidad, decidieron no dar a conocer estos detalles a la prensa. Y a mí me prohibieron hablar de este asunto. Regresé a estudiar a la universidad y después de conseguir mi maestría y mi doctorado comencé a trabajar ahí mismo —un gesto de arrepentimiento embargó el rostro de Elías—. Yo tenía que haber hecho lo correcto e ir a disculparme con las nueve familias, que por mi culpa perdieron a un ser querido. Pero nunca lo hice.

—Nunca es tarde —le dijo Paola, que terminaba de ajustar la tela en el abdomen del joven.

Afucra de la Casa del Diablo una anciana tocó el timbre de la puerta.

—Mangos y limones —gritó la anciana a todo pulmón, cargando una bolsa en una mano y un paraguas en la otra—. Mangos y limones. Los tengo muy baratos.

Con muy mala cara, Gestas abrió la puerta.

—Anciana, deje de molestar, aquí no queremos na...

Antes de que pudiera terminar la frase la sombra de un bate en movimiento apareció a un lado de la puerta, quebrándose en dos en la cabeza del enfermero. Agarrando la punta del bate estaba Moisés, que aparecía detrás de la anciana.

—De algo sirvieron esos partidos de béisbol en el vecindario.

—Ay, mijo, pero no pensé que le darías tan fuerte —comentó la anciana.

—Este es uno de los que se robó el manto de la Virgen de Guadalupe —le contestó Moisés.

—¡Ah, canijo, entonces toma esto, desgraciado! —y con el paraguas cerrado le dio otro golpe en la cabeza.

Ya dentro de la Casa del Diablo, Moisés abrió la puerta del sótano y les gritó:

—¡Ya pueden salir!

—¿Y tú quien eres? —le preguntó Elías, mientras le ayudaba al joven a caminar por las escaleras del sótano.

—Hola, yo soy Moisés Cahuich.

—¿El seminarista que estaba en la basílica? —preguntó Paola.

—Sí, ¿cómo lo supo?

Elías intercedió en la conversación:

—Moisés, te tengo que pedir un favor.

CAPÍTULO 30

Entre la autopista México-Puebla y la autopista 190 está el Aeropuerto Internacional de Puebla, mejor conocido como el Aeropuerto Hermanos Serdán. Aquiles, Máximo y Carmen Serdán, quienes son considerados los primeros mártires de la Revolución Mexicana.

Paola observaba cuál era la mejor opción.

—Piper PA-28 Cherokee... No. ¿Qué tal esa Cessna 180 Skywagon...? No, demasiado lenta. Y esa que está allá, ¿la Cessna T240 Corvalis? Se ve... —Paola dejó de hablar al ver una avioneta azul y blanco en el fondo del hangar.

—Esa, una TBM900 —le dijo a Elías, apuntando a un monomotor de cinco palas, con turbopropulsión y *winglets* en la punta de las alas.

—La Daher-Socata TBM 900. Esa es la mejor. Una de las avionetas más rápidas y con suficiente rango para llegar sin necesidad de reabastecer combustible.

—¿Y sabes pilotearla? ¿Y la llave?

Paola abrió la puerta del piloto y de inmediato se ajustó en el asiento, colocándose el cinturón de seguridad de cinco puntos. Enseguida buscó los botones en la parte superior de la cabina.

—Aquí prendemos la batería, el generador lo ponemos a funcionar.

Al hacer esto, el panel se encendió como un pino de Navidad. La cabina del Socata TBM es una de las más avanzadas en todo el mundo. Con tres pantallas digitales, una para el piloto, otra para el copiloto y la pantalla central. En la pantalla principal, en medio de la consola aparece el mapa con cuatro monitores a la izquierda, mostrando el *electronic flight instrument sytem*

(EFIS), el *traffic collision avoidance system* (TCAS), el *terrain awareness and warning system* (TAWS) y el *transponder*.

—25.6 en la batería. Eso está perfecto. Todo listo para hacer contacto en el arranque. Bomba de gasolina… prendida —movió el *switch* de arranque y la propela de cinco palas comenzó lentamente a girar.

Paola centró su atención en el panel de instrumentos mientras subía un poco la palanca del acelerador. La aguja del monitor de NG comenzó a subir poco a poco, debajo de este monitor la aguja del ITT también comenzó a subir de nivel. Las revoluciones del motor aumentaron hasta 1800 RPM. Todas las agujas estaban en verde, la temperatura del aceite, el combustible y la batería.

1200 es el código que coloca en el *transponder* para vuelo visual.

—Ignición en posición automática al igual que la bomba de gasolina —le dijo Paola, al cambiar de posición los botones en la parte superior de la cabina.

Comenzó a escribir coordenadas en el panel de la avioneta.

—MMPB Aeropuerto de Puebla, coordenadas N19'9,49'/ W98'22.29'. Al MMCT de Chichén Itzá, con coordenadas N20'38,48'/W88'26.77'. Ahora sí, soltamos el freno del TBM 900. Subimos los *flaps* y tomamos pista. *Full throttle* —dijo Paola, avanzando la palanca central hacia adelante, y el motor aumentó de revoluciones hasta 2300 RPM. La avioneta se comenzó a desplazar en medio de la pista.

—¿No vas a pedir pista? —le preguntó Elías.

—¿Tú pedirías permiso para robarte un automóvil? —se quedó callada por un par de segundos—. Exactamente lo que pensaba. Yo tampoco.

En el otro lado de Puebla, en la ciudad de Cholula, el general Teófilo Baltazar llegó a las afueras de la casa donde estaban parapetados los miembros de la milicia cristera.

—¡Tiren las armas y salgan con las manos en alto! —dijo el general, en el altavoz del Humvee.

Su invocación fue respondida con una lluvia de balas proveniente de la casa.

—Preparen el Black Hawk, manden al Cuerpo de Fuerzas Especiales a tomar la casa.

El general Baltazar se refería al grupo élite del ejército mexicano, los denominados Murciélagos o Boinas Verdes. Un equipo de las fuerzas especiales que se diferencian de los otros soldados por su alto grado de adiestramiento, disciplina, valor, tácticas de supervivencia y capacidad para recuperar rehenes. Ellos estaban listos para asaltar la casa desde el techo.

Abriéndose paso entre la multitud, llegaron al lugar de los hechos el arzobispo de la Basílica de Guadalupe y el cardenal de México.

—General, por favor —le dijo el cardenal, que se protegía detrás del Humvee junto al arzobispo—. Hay que darles más tiempo para que recapaciten.

—Con todo respeto, cardenal —le dijo el general—, alguien una vez me dijo: «No debes luchar demasiado con un enemigo o le enseñarás tu arte de la guerra» —señaló a la casa donde estaban parapetados los guerrilleros de la milicia—. Ha pasado demasiado tiempo, no podemos esperar más.

El teniente regresó con el *walkie-talkie* y le dijo al general:

—Los Murciélagos están listos para descender, mi general.

Alejándose del Humvee donde estaban los sacerdotes, el general dio luz verde para iniciar el asalto a la residencia.

Entre las nubes descendió a gran velocidad el helicóptero UH-60 Black Hawk, traía las compuertas abiertas y adentro un grupo de seis militares Boinas Verdes listos para entrar en acción.

Aprovechando la distracción del helicóptero, el cardenal se apoderó del altavoz del Humvee.

—Les habla el cardenal de México, retiraremos todos los cargos de robo si se entregan en estos momentos.

—¡Noooo, qué está haciendo! —le gritó el general, mientras corría a quitarle el micrófono del altavoz al cardenal.

El helicóptero se posó por unos segundos en el techo de la residencia, tiempo suficiente para que cuatro soldados de las fuerzas especiales del ejército mexicano brincaran a la azotea.

—¡Este es un asunto federal! —le gritó en la cara al cardenal.

—No, es un asunto del pueblo. La Virgen le pertenece al pueblo —refutó el cardenal.

La puerta de la residencia se abrió de golpe. De adentro comenzaron a tirar sus armas. Y uno a uno salió con los brazos arriba. Los soldados que estaban en los vehículos se aproximaron gritando:

—Pecho tierra, tírate al suelo o te trueno.

CAPÍTULO 31

Hace 65 millones de años, el noreste de la península de Yucatán fue impactado por un enorme meteorito que medía de 10 a 18 kilómetros de diámetro, a una velocidad de 72 000 kilómetros por hora. El centro del impacto se encuentra cerca de la actual población de Chicxulub, razón por la que se le conoce como el cráter de Chicxulub, el «pozo del diablo» en maya.

El impacto fue tal que ocasionó un cráter de 180 kilómetros de circunferencia. La explosión fue dos millones de veces más potente que la Bomba del Zar, hasta el momento el mayor dispositivo explosivo creado por el hombre. Esto hizo que en gran parte del planeta llovieran piedras de fuego cuando partes de la península de Yucatán y roca de este meteorito fueron eyectados a la atmósfera por la explosión, convirtiéndose en proyectiles incandescentes al reentrar en la atmósfera terrestre, lo que provocó incendios globales en todos los continentes. Como parte del meteorito cayó en el Golfo de México, esto creo un megatsunami de más de 400 metros de altura que arrasó todo a su paso.

La emisión de cenizas y polvo en la estratósfera cubrió todo el planeta por más de diez años, impidiendo que la luz solar llegara a todo el mundo. Este acontecimiento apocalíptico marcó el final de los dinosaurios y el comienzo de los cenotes en este lugar del planeta.

Todas estas cicatrices creadas por el meteorito formaron una infinidad de ríos subterráneos en el sur de México. Se estima que existen más de 6000 cenotes en la península de Yucatán, aunque solo 2400 han sido registrados. Hasta el momento, el sistema más extenso y profundo es el sistema Sac Actum («caverna blanca» en maya), con una longitud de 364 396 metros y una profundidad de 119 metros.

La exploración de los cenotes comenzó hace menos de cuarenta años. Se sabía que eran agujeros sagrados para los mayas, bocas para entrar al inframundo, razón por la cual se utilizaban para realizar sacrificios humanos en honor a Chac, el dios de la lluvia. En 2015, investigadores de la UNAM colocaron electrodos para investigar el subsuelo y descubrieron un cenote debajo de la estructura del castillo de Kukulkán, en Chichén Itzá o la Boca de los Pozos de los Brujos de Agua, por su significado maya.

La pirámide se asienta sobre una gruesa capa de cinco metros de piedra caliza y debajo de esta está el río subterráneo, colocando estratégicamente el centro de las entrañas del templo de Kukulkán con la entrada al inframundo en el subsuelo.

A cien kilómetros de lo que fue en su momento el centro de la población maya, dos jeeps se abrieron paso en medio de la noche por la maleza en la selva yucateca. Los conductores de los vehículos tenían que meter la doble tracción para evitar que las llantas de 18 pulgadas se atascaran en el fango y lodo. Cada vehículo llevaba una barra de cuarenta faros LED en el techo para iluminar toda la terracería. En uno de los vehículos venían cuatro ocupantes y en el otro solo había dos pasajeros para acomodar el equipo de buceo.

—El GPS indica que estamos muy cerca de las coordenadas —comentó El Muñeco.

El Global Positioning System indicaba:

LATITUD 20.615471
LONGITUD -89.33369

—Debe estar detrás de esos árboles —señaló Balda—. Sacó su libreta de su *backpack* y leyó: Descargaron – hombre pez, agujero circular grande al sótano agua fría y transparente con corriente y cola de lagarto.

Al bajarse los seis hombres de los jeeps, el cielo comenzaba a relampaguear, señal de que se avecinaba una tormenta.

En las oficinas de la CENAPRED, Diana Durán estaba doblando su turno por toda la actividad en el Popocatépetl y en el Nevado de Colima. De repente la alarma de su computadora volvió a sonar: *bip-bip, bip-bip* al recibir este mensaje:

```
Special Tropical Weather Alert
NWS National Hurricane Center Miami FL
For the Caribbean Sea and the Gulf of Mexico
The National Hurricane Center is issuing advisories
on Tropical Storm
located near the coast of Yucatan
Tropical Cyclone is expected during the next 2 days
```

—¿Y ahora de qué se trata? —gritó Pablo Orejón, desde el otro lado de la oficina, checando las imágenes del tsunami en la página oficial de la agencia NOAA—. En seis horas estará llegando el tsunami a las costas de México y Estados Unidos —susurró para sí mismo, mientras caminaba hacia el escritorio de Diana Durán—. ¿Qué tenemos, Diana?

—Se acaba de formar una tormenta tropical en la península de Yucatán. Pronóstico para los próximos dos días. Curiosamente se hizo de la nada. Según el radar, carga mucha lluvia y vientos sostenidos entre 90 y 118 kilómetros por hora.

En la pantalla de su computadora se veía una inmensa mancha roja en el centro, amarilla en la segunda capa, verde en la tercera capa y azul en los bordes, que se movía de Guatemala con dirección al noreste directamente hacia la península de Yucatán.

En la parte izquierda de la pantalla, un pequeño recuadro con el video del Popo escupiendo lava, magma conformada por roca fundida, gases y cristales. El semáforo continuaba en rojo con la señal de alarma fase 2. *Exhalaciones 245, explosiones 3, volcanotectónicas 2, tremor 14.*

—¡Manda la alerta a la marina y a todos los aeropuertos de Yucatán! —le dijo el director general—. Es lo único que nos faltaba.

Volando sobre el Golfo de México, en dirección al suroeste a 185 nudos de velocidad y 13 000 pies de altura, Paola disfrutaba el estar detrás del volante de un avión. Especialmente de una Socata TBM 900, una de las mejores en su clase. Ni Paola ni Elías habían hablado mucho durante el vuelo. El silencio se sentía incómodo. Una voz en los audífonos interrumpió la nada:

—Uno… Tango… Bravo… ¿Cuál es su destino final?

—Uno… Tango… Bravo… Aeropuerto Internacional de Chichén Itzá —respondió Paola.

—Uno… Tango… Bravo… Lo vamos a tener que redirigir al Aeropuerto Alberto Acuña Ongay, en la ciudad de Campeche. Tenemos una tormenta tropical a punto de llegar a la zona. Con vientos sostenidos de hasta 118 kilómetros por hora.

—Uno… Tango… Bravo… Negativo. Negativo. Tenemos que aterrizar en Chichén Itzá.

—Uno… Tango… Bravo… ¿Cuál es su velocidad actual? —preguntó la torre de control.

—Uno… Tango… Bravo… 185 nudos, podría aumentar hasta 200 de ser necesario.

—Uno… Tango… Bravo… Imposible que llegues, aunque aumentes a 200 nudos. Mantén tu velocidad actual y diez kilómetros antes de llegar a Campeche disminuye tu velocidad a 110 nudos.

—¿Qué hacemos? —le preguntó Elías a Paola—. Será prácticamente imposible aterrizar con ese tipo de viento en Chichén Itzá.

En el monitor del centro, en la consola, se comenzó a formar una inmensa mancha roja con amarillo que salía entre Guatemala y Belice, en dirección hacia Quintana Roo y Yucatán.

Paola checó el monitor, después revisó su reloj, y tomó la decisión: apagó el piloto automático.

—Sí, llegamos —comentó Paola, al momento que empujaba con su mano derecha la palanca del medio hasta el fondo.

La aguja de las revoluciones de la TBM 900 se iban hasta el rojo, la velocidad aumentaba de 185 nudos a 326 en cuestión de segundos.

—Volando a 611 kilómetros por hora deberíamos de llegar justo antes de la depresión tropical —le dijo Paola a Elías.

—¿Estás segura?

—Nunca fui muy buena en matemáticas, pero... Yo creo que sí —le respondió, con una sonrisa.

—Espérame. No es lo mismo decir «estoy segura» a decir «yo creo que sí».

—Voy a ascender hasta 15 000 pies, unos minutos nada más, para tener más velocidad de bajada cruzando la península —respondió Paola.

Al ascender a esa altitud, Paola volvió a prender el piloto automático con las coordenadas del Aeropuerto de Chichén Itzá.

El piloto automático de esta aeronave en particular le ayuda al piloto para mantener el rumbo programado, ascender o descender a la altitud deseada, mantener la velocidad y alinear el avión con la pista de aterrizaje. Pero hay que tomar el mando una vez que se aproxima a la pista para hacer el aterrizaje de una manera manual.

En la selva se comenzaban a sentir ráfagas de aire que llegaban en trombas intermitentes. Los dos vehículos avanzaban entre los manglares hasta que la selva se los permitía. Las barras de focos sobre los jeeps permitían divisar un agujero en medio de la piedra caliza.

—Muévanse rápido —gritó El Muñeco a dos de sus guías que los acompañaban en la expedición por la tupida selva—. Hay que bajar el equipo, no tenemos toda la noche.

En medio de los manglares, entre los árboles y piedra caliza, se abrió un enorme hoyo en la piedra caliza y porosa. Un mundo aparte debajo de la tierra. Un mundo subterráneo con agua tranquila, fría y cristalina. Este cenote podría ofrecer esa vieja quimera del ser humano. La ilusión que a veces es producto de la imaginación para ser omnipotente, para convertirse en la persona más rica del plancta.

Al bajarse del automóvil, uno de los guías comentó en maya:

—Tz'onot X'tabay —se veía temor en sus ojos.

—¿Qué dice? —preguntó El Muñeco.

—Cenote del espíritu malvado de la selva. Tz'onot que significa «pozo» o «abismo», y X'Tabay, que quiere decir «espíritu malvado de la jungla» —le respondió el otro guía.

El sacerdote Balda sacó su libreta de notas y leyó: Contaron atrás del setenta y siete resplandor más allá del sol a la mitad – Descargaron – hombre pez agujero circular grande al sótano agua fría y transparente con corriente y cola de lagarto.

Balda volteó a ver al guía y le dijo:

—Aquí no dice nada de espíritus malvados en la selva y menos con cola de lagarto. Nada de eso.

La expresión del rostro de El Muñeco cambió de inmediato al mover la maleza que cubría la entrada del cenote, descubriendo un jeroglífico grabado en la piedra porosa:

—Es Tonatiuh. Pero está de cabeza —gritó El Muñeco, emocionado.

—Esta es la señal. El dios del sol. Tonatiuh: el que siempre brilla. Y ahí adentro —señaló el cenote—. Debe de brillar más —dijo, emocionado, John Balda.

El guía que hablaba solo maya terminó de bajar el equipo submarino del jeep, y al recargarlo sobre una de las piedras en la entrada del cenote observó este dibujo grabado en ella:

Y dijo:

—Tz'onot Áayin kisino kili'ích, kaan ja. Teené ma mix ba'al kúuchil.

—¿De qué chingaos se queja ahora? —volvió a preguntar El Muñeco.

—Dice que este es el cenote del cocodrilo diabólico y sagrado con serpientes de agua —el guía volteó a ver a su compañero y terminó diciendo—: Nosotros no queremos nada aquí.

Se dio media vuelta y al tratar de correr se topó con la daga de Dimas, que se le enterró justo en la boca del estómago. El otro guía trató de meterse entre los dos vehículos solo para recibir una ráfaga de balas con el FX-05 de parte de El Muñeco.

—Si no estás con nosotros, estás en contra de nosotros —comentó John Balda—. Vamos, no tenemos toda la noche.

A 15 000 pies de altura, la avioneta TBM 900 volaba en piloto automático.

—Uno... Tango... Bravo... Este es el Aeropuerto Internacional de Chichén Itzá. ¿Me escuchas?

Silencio.

—Uno... Tango... Bravo... Aquí el Aeropuerto Internacional de Chichén Itzá. ¿Dónde se encuentran?

Silencio.

Dentro de la cabina los dos tripulantes estaban desmayados por la falta de oxígeno. Paola cabeceaba constantemente, mientras que Elías estaba recostado sobre la ventanilla del copiloto.

Lo que Paola había comentado que serían pocos minutos se habían prolongado por más de treinta minutos. Su error, por no conocer bien el sistema, fue el no haber encendido el procedimiento de presurización de la cabina, que inyecta oxígeno al compartimiento, manteniendo la presión como si volara a 8000 pies de altura. La falta de oxígeno o hipoxia en los glóbulos rojos no produce dolor, por lo que la mayoría de las veces sus síntomas son imperceptibles. Es muy común usar el término TUC (Tiempo Útil de Conciencia) al referirse a los pasajeros de una aeronave no presurizada que pierden el conocimiento.

—Uno… Tango… Bravo… ¿Me escuchas?

El piloto automático se mantenía encendido con las coordenadas del Aeropuerto de Chichén Itzá, cuando la aeronave empezó a hacer su descenso. En el monitor del centro de la cabina se percibía la gigantesca mancha de diversos colores de la depresión tropical, la cual comenzaba a sentirse en el armazón de la TBM 900. Al atravesar las nubes a 12 500 pies de altura, el granizo que golpeaba el vidrio reforzado de la cabina estallaba en mil pedazos. El ruido era ensordecedor.

—Uno… Tango… Bravo… Aeropuerto Internacional de Chichén Itzá. Visibilidad reducida, operación total por instrumentos.

Las ráfagas de viento y lluvia seguían golpeando a intervalos el fuselaje de la aeronave. Los diferentes cambios de presión barométrica hacían que la sustentación de las alas hiciera brincar de una manera constante a los dos tripulantes inmóviles en sus respectivos asientos.

ONE THOUSAND indicó el sistema automatizado en los auriculares de Paola y Elías, dando la señal de estar a mil pies de tierra.

Los *flaps* de las alas automáticamente comenzaron a extenderse hacia atrás, pero el ángulo de ataque y la velocidad no eran los indicados para aterrizar. Era demasiada velocidad para los *flaps*, que comenzaron a vibrar fuertemente.

—Uno… Tango… Bravo… Adelante. Necesitas bajar la velocidad considerablemente a 80 nudos —repitió la torre de control; en su monitor, el único punto en el radar se acercaba como un bólido a 280 nudos.

FIVE HUNDRED se escuchó por los auriculares, seguido por una señal de alarma del GPWS[4]. *PULL UP… PULL UP*, señaló el sistema inventado por el ingeniero canadiense Charles Donald Bateman, quien ha sido reconocido mundialmente gracias a su

---

4 Ground Proximity Warning System.

sistema como la persona que más vidas ha salvado en la aviación. *PULL UP... WARNING... WARNING.*

La oscura caverna tenía un aspecto tenebroso en la oscuridad de la noche. La cavidad natural de forma cilíndrica medía aproximadamente unos 45 metros de circunferencia. Su agua dulce era alimentada por la lluvia constante en la región que se trasminaba por la piedra caliza y en la mayoría de los casos se conectaba con otros cenotes o ríos subterráneos conocidos como el Gran Acuífero Maya. Muchos de estos pozos fueron creados por la erosión del terreno o el derrumbe de la piedra caliza, creando majestuosas cuevas submarinas, algunas de ellas con cientos de metros de profundidad.

—Si el tesoro se encuentra en este pozo, no debería de estar muy lejos de la entrada. Los aztecas tenían que haber depositado el oro y las joyas en un lugar y regresar con el mismo aliento —comentó el sacerdote—. Según mis cálculos, no puede estar más allá de 50 o 70 metros de este orificio.

El Muñeco se colocó su traje de neopreno de tres milímetros de espesor para poder soportar la baja temperatura del agua. Tomó cinco linternas de 1000 LM cada una y las lanzó al cenote en diferentes posiciones. El agua brillaba con diferentes tonos de verde. Una de las linternas cayó hasta lo más profundo del cenote. Su resplandor se perdió en el fondo del pozo. A parte de esas lámparas, los cuatro buzos cargaban cuatro lámparas cada uno, dos en la cabeza con cada luz de 80 LM de alta potencia y una ajustada en la muñeca de cada mano.

PULL UP... WARNING... WARNING volvió la advertencia del GPWS. Paola seguía cabeceando inconsciente en cada turbulencia que azotaba al avión.

En eso, una corriente eléctrica calentó el aire a unos 30 000 grados centígrados en cuestión de milisegundos, provocando una expansión explosiva y una onda de choque que hizo que la avioneta pasara por una bolsa de aire, creando por un segundo gravedad cero. Paola y Elías flotaban en el aire. Con el fuerte movimiento, la visera del parabrisas se abrió y una estampita de la Virgen de Guadalupe cayó en medio de la consola.

Tras la caída del relámpago se produjo el trueno con una intensidad de sonido superior a los 110 decibelios, suficiente para despertar a Paola.

PULL UP... WARNING... PULL UP

Le tomó menos de un segundo en reaccionar y saber de la gravedad en la que se encontraban. De manera automatizada, Paola comenzó a mover botones y bajar toda la velocidad en la palanca. Las luces de la pista de aterrizaje se alcanzaban a percibir tenuemente en el horizonte.

Bajó el tren de aterrizaje, aumentó el grado de los *flaps*, la velocidad comenzó a disminuir de modo considerable, 260... 250 nudos. Aún muy rápido para tratar de aterrizar.

—¡Despierta, despierta! —le gritó Paola a Elías, moviéndole el hombro.

—*Mayday, Mayday*. Uno... Tango... Bravo... —se escuchó la voz de Paola en los audífonos del operador en la torre de control.

—Uno... Tango... Bravo... Aquí torre de control de Chichén Itzá, reduzca la velocidad a 80 nudos. Todavía no hay contacto visual.

—Uno... Tango... Bravo... Haciendo todo lo posible para bajar la velocidad. Entrando en el acercamiento final.

El instrumento de la velocidad indicaba 220 nudos. Paola se ajustó el cinturón de seguridad, se volteó hacia Elías, que seguía desmayado, y le apretujó el cinturón de seguridad.

ONE HUNDRED indicó el GPWS.

—Uno... Tango... Bravo... Aquí torre de control de Chichén Itzá, tenemos contacto visual. Debes de bajar más la velocidad a 80 nudos. Vienes demasiado rápido.

Paola aumentó todo el ángulo de los *flaps*. Su habilidad de controlar la situación era asombrosa, manteniendo la calma y revisando todas sus opciones. Pero a pesar de todo esto sabía que era demasiada velocidad para este tipo de avioneta. El monitor del centro del tablero colocaba al avión justo en medio de la tormenta tropical. A pesar de lo crítico de la situación, logró percibir la postal con la imagen de la Virgen de Guadalupe en el tablero. Nunca se enteró cómo esta llegó ahí. Pero por alguna razón inexplicable, se sentía más tranquila. En paz consigo misma.

Las ráfagas de aire de repente cambiaron de dirección. Ahora estaban de frente, ayudándole a la avioneta a detener su velocidad de manera considerable. Entre la neblina y la lluvia alcanzó a divisar las luces de la pista de aterrizaje.

Las aguas del cenote estaban expuestas a las condiciones ambientales de la zona. Este cenote mostraba todo tipo de vida animal dentro del pozo.

Por lo general, en la mayoría de los cenotes en la península de Yucatán lo que predomina en el agua es el fitoplancton, que es un conjunto de microorganismos vegetales de coloración azul verdosa en el agua que sirve de alimento para otros peces.

El fitoplancton de este cenote era bioluminiscente, que al agitar el agua y con el resplandor de la luna produce una luz brillante como si fuera una estrella o un diamante. Aparte del fitoplancton, había tortugas y grandes peces, que eran atraídos por la luz de las linternas acuáticas.

John Balda fue el último de los cuatro en acomodarse la máscara de buceo. Checó el aire comprimido de su tanque, que era una mezcla de 21 % de oxígeno, 78 % de nitrógeno y una porción de vapor de agua. Se colocó el regulador en la boca y aspiró profundamente el flujo de aire comprimido. Tras checar que todo funcionara correctamente se hundió hacia las profundidades del cenote.

Las lámparas en el agua daban suficiente luz para mostrar la majestuosidad de este lugar. Era como si los dioses del abismo iluminaran su hogar para recibir dignamente a estos nuevos huéspedes.

La luz no se comporta de la misma manera en el aire que en el agua. Cuando la luz de afuera penetra en el agua cambia de dirección, los rayos se desvían por la refracción de la luz.

En las coyunturas de la piedra porosa, en algunos lados salían las raíces de los árboles de amate de la superficie, que a través de los años encontraron la manera más fácil de surtirse de agua teniendo raíces gigantescas dentro del pozo. Conforme iban descendiendo a las entrañas del cenote, el paisaje iba cambiando notablemente, las paredes se convertían en estalagmitas y arriba de ellas las estalactitas, formaciones de piedra que se fueron desarrollando como resultado de los depósitos minerales de millones de años. El Muñeco aprovechó estas protuberancias en la cueva para amarrar la línea de vida, un cordón muy resistente que iba amarrando cada 10 o 15 metros para señalarse la salida y no perderse en los laberintos del cenote. Y para medir la distancia, cada tres metros el hilo tenía un nudo para dar referencia al buzo de cuánta distancia había recorrido.

Al bajar a una profundidad de veinticinco metros alcanzaron a distinguir el efecto haloclina, que es cuando se mezcla el agua dulce con el agua salada, que contiene sal y más minerales, siendo por ende más pesada que el agua dulce. La mayoría de estos cenotes están interconectados, formando la red de ríos subterráneos más grande del planeta. Por eso es raro ver un río en la superficie en la península de Yucatán, ya que todos los ríos están en el subsuelo.

La iluminación de las lámparas en el agua en la boca del cenote había quedado atrás. Ahora comenzaba la llamada oscuridad eterna, la única iluminación que había era la que portaban los cuatro buzos. Al llegar al fondo, John Balda checó su ordenador Mares Puck Pro que le permitía ver la profundidad y el tiempo que podía estar en el agua. Este indicó 28 metros de profundidad. De repente entre la piedra porosa y las estalactitas había cosas que brillaban en el fondo cuando eran iluminadas por las lámparas de los buzos. Lentamente el sacerdote descendió hasta ellas y la tomó entre sus dedos. Cristales de cuarzo de color rosa de forma redonda y bien tallados, piedras de jade, ópalos de varios colores.

En todo el fondo había una fila con una gran cantidad de piedras preciosas.

Las piedras no estaban regadas en diferentes partes de la caverna, todas estaban en línea en dirección a un túnel, entre la piedra volcánica en el fondo del cenote. En cada cambio de dirección El Muñeco amarraba el hilo de la vida en otra estalactita. Hasta el momento había hecho quince cambios de dirección en la cuerda y según los nudos en el hilo habían recorrido 65 metros hasta la entrada de la cueva. Los únicos ruidos que se escuchaban eran las burbujas que soltaban los reguladores al respirar. Era una sinfonía submarina que se mezclaba con los ruidos distorsionados de las diferentes especies marinas del lugar.

TOUCHDOWN... Las llantas de la avioneta TBM 900 tocaron tierra con varios sobresaltos que hicieron que Elías se golpeara en la ventana y despertara de su largo letargo.

—Pensé que sabías volar —le dijo Elías, en tono de broma, aún modorro con la marca de la ventana en su rostro.

Paola estaba ocupada tratando de detener el avance de la aeronave. Colocó el motor en reversa, aplanó a fondo los pedales. Las llantas patinaron por la gran cantidad de agua en la pista de aterrizaje. Le tomó casi toda la pista para poder detener el andar del aparato en medio de la torrencial lluvia.

—¿Cómo vas a saber si estabas desmayado? —le respondió sarcásticamente Paola.

—Fue por no comer y porque dormí muy mal anoche.

En el fondo del cenote, la piedra caliza y el coral formaban grotescas figuras iluminadas por los destellos de las lámparas. Los cuatro buzos iban uno atrás del otro con cierto margen de distancia para poder maniobrar, sabían que era muy fácil perderse en este tipo de ambiente. Uno a uno los buzos iban avanzando entre las paredes de la caverna submarina, los sedimentos que cada uno iba levantando con las aletas empobrecía cada vez más la visibilidad en el agua. Al pasar al otro lado del pequeño túnel se encontraron con una enorme bóveda, que poco a poco se hizo más y más extensa. Las luces de los buzos no alcanzaban a vislumbrar la enorme cavidad que iba aumentando de tamaño conforme avanzaban.

De repente un cráneo humano apareció en el fondo.

Ahora eran diez, veinte, cincuenta. Todo el fondo de la bóveda estaba tapizado de cráneos humanos, cientos y cientos de cráneos mezclados con algunas piedras preciosas. Entre los esqueletos humanos había varias mandíbulas con dientes tan grandes y afilados como una navaja, probablemente de un tigre dientes de sable, se destacaba también el cráneo de un lobo, el esqueleto fosilizado de un tiburón y un cráneo de lo que aparentaba haber sido un enorme cocodrilo, con dientes aserrados y puntiagudos. Algunos de estos fósiles databan de más de 30 000 años, ya que en tiempos de la prehistoria todas estas cavernas eran secas.

En eso el sacerdote volteó su lámpara hacia la derecha. Algo brillaba del otro lado de la bóveda. Le hizo una seña a sus compañeros para que lo siguieran. Su descenso era ininterrumpido en este mundo completamente diferente a todo lo que habían vivido anteriormente.

Prácticamente volando en las aguas cristalinas de esta enorme caverna rodeados entre estalactitas y estalagmitas, al irse acercando el brillo iba aumentando hasta reflejar en todos los rincones de la bóveda el color amarillo. Eran miles y miles de lingotes de oro, medallas, máscaras de oro con adornos de jade, escudos, estatuillas, anillos, todo tipo de alhajas, diademas, aretes y collares del preciado metal. El mito, la leyenda del tesoro de Moctezuma, era cierto. El rompecabezas compuesto por la imagen de la Virgen de Guadalupe, el *Nicān Mopōhua* y el tesoro de los aztecas por fin se había revelado.

Al mirar hacia arriba, El Muñeco se dio cuenta de que esta bóveda submarina tenía una bolsa de aire en la parte superior. Amarró su línea de vida en la base de una pequeña estalactita donde estaba el tesoro y ascendió diez metros. Se quitó el visor y el regulador, y respiró hondamente el aire de la caverna.

Enscguida a su lado salieron los otros dos buzos y el sacerdote Balda que dijo:

—Tenía toda la razón Bernal Díaz del Castillo cuando entró con Cortés al cuarto del tesoro de los aztecas y dijo: «No había visto en mi vida riquezas como aquellas, y que estaba seguro de que no había otra igual en todo el mundo».

CAPÍTULO 32

Una camioneta 4 × 4 cruzó velozmente la vereda. Las llantas patinaban en cada curva producto de la gran cantidad de agua que había caído en las últimas horas.

Elías conducía tan rápido como le permitía el camino de terracería.

—Aquí son los 100 kilómetros al este de la pirámide de Chichén Itzá —comentó Elías—. Si las coordenadas son correctas, el cenote debería de estar por aquí.

A unos 100 metros más adelante en la vereda, se alcanzó a distinguir las fuertes luces de los vehículos. Sacó el automóvil del camino y se detuvo, ambos se bajaron del auto. La fuerte lluvia los empapó de inmediato. Esto no le importó a ninguno de los dos, que se acercaron a los vehículos. Elías todavía no podía razonar que el tesoro de Moctezuma estuviera en este lugar a más de 1500 kilómetros de la Ciudad de México. Al acercarse al orificio del cenote, se topó con la piedra del rostro volteado de Tonatiuh.

Por alguna extraña razón, los cabellos de la nuca se le erizaron. Sintió vértigo, no estaba seguro si era la falta de alimento o la falta de oxígeno durante el vuelo.

Al borde de la entrada del cenote, había una carpa que protegía parte del equipo de comunicación y las armas de fuego.

Por la intensa lluvia, ni Paola ni Elías escucharon las burbujas que reventaban en la superficie del cenote. El Muñeco y Dimas estaban a punto de emerger.

—Tienen el mismo equipo de transmisión que el ejército —comentó Elías, que comenzó a mover el teclado de la pantalla para cambiar la señal de transmisión.

—¡Hey, NO toques mi radio! —le gritó El Muñeco. A su lado Dimas portaba una de las ametralladoras FX-05—. ¡Chíngatelos!

De inmediato Dimas cortó cartucho en la ametralladora Xiuhcoatl y cuando estaba a punto de colocársela en el hombro se escuchó un intenso ruido en la densa maleza justo atrás de ellos.

Un inmenso jabalí salió de la llanura directo hacia donde estaba Dimas y El Muñeco, moviendo ágilmente sus patas cortas y rechonchas y meneando sus inmensos caninos de un lado a otro iba destrozando todo lo que estaba a su paso. Elías tomó a Paola de la mano y de un brinco se subieron al cofre del Jeep. Atrás del inmenso cerdo de más de 250 kilos de peso salían dos crías corriendo detrás de la madre. La mesa donde estaban las ametralladoras y las granadas fue impulsada hacia la boca del cenote al igual que la mesa donde estaba el radiotransmisor.

Dimas trató de voltear la ametralladora, pero el jabalí fue demasiado rápido y con un fuerte movimiento de cabeza le abrió una herida de lado a lado del estómago, empujando a El Muñeco, que cargaba su tanque de oxígeno, de nuevo al agua. El jabalí dio otra vuelta y se abalanzaba de nuevo en contra de Dimas, que ahora estaba de rodillas agarrándose los intestinos para mantenerlos dentro de la cavidad abdominal. El jabalí sin piedad y con una velocidad vertiginosa movía el hocico y con un movimiento quirúrgico le pasaba el colmillo justo en el cuello, degollándolo de una sola tajada. La scrofa hizo un extraño chillido antes de volver con sus crías hacia la tupida maleza en la selva.

El Muñeco, al ver esto, se volvió a colocar su tanque de oxígeno y se zambulló. Al llegar al fondo tomó una de las dos granadas que habían caído al agua y se las colocó en la correa del tanque de aire comprimido.

Sin pensarlo dos veces, Elías corrió hacia donde yacía el cuerpo de Dimas completamente ensangrentado y recogió el equipo de buceo que él utilizaba.

—¡Ve a buscar ayuda! —le dijo a Paola.

—¿Y tú? Estás loco si piensas ir tras de ellos —le respondió la doctora.

—Estos cenotes tienen muchas conexiones. Bien podrían salir por otro lado y jamás los encontraremos —comentó Elías, colocándose el equipo de buceo.

Paola se acercó a él y le comenzó a ayudar con el tanque de oxígeno. Los relámpagos eran lo único que hacía brillar las siluetas de los árboles en la jungla. La lluvia caía implacablemente, resbalándose y colándose por la piedra caliza.

De pronto sus manos se juntaron cuando los dos trataron de abrochar el arnés del chaleco. Era la primera vez que los dos se miraban de esa manera.

—Pao, la verdad, lo siento muchisi...

—Shhhh —Paola le puso un dedo en la boca para callarlo y apasionadamente lo besó—. Solo te pido una cosa. Regresa a mí —le dijo mientras Elías descendía lentamente envuelto en el fitoplancton bioluminiscente en las frías aguas del cenote.

Un shock gélido entró por todo su sistema nervioso. El agua estaba mucho más fría de lo que se imaginaba. Al descender diez metros, se tuvo que descompresionar los oídos que comenzaron a pitarle y dolerle por la presión. Como no traía ninguna linterna consigo, agarró dos de las lámparas que El Muñeco había lanzado al agua para iluminar la entrada. Al lado de una de las bombillas estaban las ametralladoras que cayeron de la mesa y la línea de vida que continuaba hacia lo más oscuro del cenote. Al iluminar la FX-05 Xiuhcoatl, Elías recordó sus días de recluta y cómo le enseñaron que esta ametralladora también disparaba cubierta de tierra, de lodo e incluso debajo del agua. Al recordar esto, agarró la FX-05 y se la colgó del cuello hacia el pecho.

«Así que estas eran las entradas para el inframundo de los mayas» pensó Elías. «Estos cenotes marcaron la civilización maya. Fueron el principal abastecimiento de agua para desarrollar sus ciudades. Eran los lugares sagrados para sacrificios humanos, marcaban el renacimiento de la vida y la fertilidad. Pero también marcaron el final de su civilización. Hallazgos arqueológicos indican un incremento en los sacrificios humanos en el período clásico alrededor del año 900 DC, que coincide con un cataclismo geológico, de una gran sequía que duró varias décadas. Todas sus cosechas se secaron, trayendo hambre y muerte a la región».

El vértice del cono había quedado atrás. Elías avanzaba por el fondo del cenote, tocando y palpando el hilo de la vida. A medida que avanzaba cada estalagmita tomaba una forma diferente por el ángulo de la luz que se irradiaba en ella. Cada aspereza, cada piedra se volvía más burda.

Reflejos verdes, blancos y de múltiples colores comenzaron a brillar en los sedimentos del fondo, justo por donde pasaba el nylon. «Ópalos, jade y cuarzo de diferentes tamaños y formas. Todas se veían bien trabajadas, algunas incluso tenían perforaciones, parte de algún collar o pendiente. De seguro se les iban cayendo a los aztecas al nadar con su parte del tesoro» se imaginó el profesor. «No puede estar muy lejos». Era prácticamente imposible nadar esta distancia, soltar el tesoro y regresar a tierra firme en un solo aliento. Checó el regulador de su tanque y vio que le quedaban más o menos unos cuarenta minutos en el suministro de aire.

En esta oscuridad total, solo su sombra rebotaba en las paredes de la caverna. Al voltear atrás, se dio cuenta de que lo seguían una buena cantidad de peces atraídos por la iluminación de las lámparas. Palpando entre sus dedos el hilo, vio que se dirigía a una grieta o túnel entre los muros de la caverna. Del otro lado se veían los rayos de luz de las lámparas de El Muñeco.

Una vez más Elías tuvo que detener su avance para descompresionar sus oídos. El dolor en los tímpanos era más intenso conforme avanzaba en la caverna. El intenso zumbido en las trompas de Eustaquio se estaba haciendo insoportable a pesar de los múltiples intentos de apretarse la nariz y soplar al mismo tiempo. A pesar del dolor, mantuvo su avance hacia la gruta. Debido a la dolencia y sus intentos de descompresionarse, no se había dado cuenta de que nadaba sobre un lecho de cráneos humanos.

La cueva se había convertido en el cementerio de cientos y cientos de personas. Elías, que nunca había sido una persona religiosa, sintió la urgencia de persignarse al nadar en las aguas sagradas de este camposanto, cuando se percató de que eran los restos de los aztecas que habían permanecido inamovibles por siglos, rodeados por la opacidad primordial del agua, tal y como lo decía el *Nicān Mopōhua*: *Hombres jorobados, jóvenes y guerreros cargaron tributo a Moctezuma II.*

Cargaron el tributo hasta el final, pagando con sus vidas. Era el sacrificio máximo que podía hacer un emperador, dar a sus hijos a cambio de guardar su tesoro.

Por eso, todos estos guerreros que aquí yacían no regresaron a defender Tenochtitlan.

Al cruzar el estrecho túnel, a Elías se le olvidó el frío que sentía, quedando maravillado de la enorme bóveda con rasgos catedralicios. Había estalactitas tan grandes que se perdían en la penumbra del pozo, las luces que portaban los otros buzos mostraban y resaltaban la majestuosidad del lugar.

Se dio cuenta de que las luces provenían de arriba, en la parte en la que los tres buzos flotaban en la cima de la bóveda, donde aparentaba haber una bolsa de aire.

Continuó con la progresión del hilo hasta llegar al yacimiento donde estaban los lingotes de oro y todo tipo de alhajas doradas. El tesoro de una nación yacía en una enorme repisa de esta cueva.

Desde 1520, ningún ojo humano había visto la majestuosidad del tesoro de los aztecas. Muchos dudaron que existiera la fortuna de Axayácatl, que describe en su libro Bernal Díaz del Castillo. Tras la victoria de Hernán Cortés en Otumba, el militar español no quería más sorpresas, por lo que decidió planificar con tiempo la conquista de Tenochtitlan. Esto favoreció que los aztecas pudieran sacar el tesoro de la Ciudad de México y esconderlo en este cenote en la península de Yucatán.

Hernán Cortés murió sin dar jamás con el paradero de este tesoro. Después le siguió su hijo Martín Cortés, en 1575 recibió noticias de que unos indígenas de Oaxaca sabían sobre la existencia de un gran tesoro oculto. De inmediato solicitó la ayuda del rey de España Felipe II, quien accedió a prestar ayuda económica con tal de recibir una buena parte de lo que encontrara. Pero al igual que su padre, Martín Cortés falleció sin dar con el paradero de esta fortuna.

Elías tomó la ametralladora de su pecho y subió lentamente a la bolsa de aire donde lo esperaban los otros tres buzos. Al quitarse el visor y el regulador, vio las caras pálidas de los tres hombres que flotaban sobre la superficie. Sus lámparas iluminaban las huellas de manos talladas con piedra en las paredes de la cueva. Eran cientos de manos por todos lados. Algunas de ellas eran de niños. Era como si las huellas se tratasen de asir de una saliente en la parte superior de la bóveda.

—A nombre del Ejército Mexicano, quedan arrestados por el robo de… —las palabras de Elías retumbaron en la bóveda antes de ser interrumpido por el sacerdote.

—¡Arrestados! —se mofó John Balda—. Aquí hay oro para dar y repartir.

Alzó su lámpara en la cabeza e iluminó otro grabado en la cueva.

Hizo caso omiso a sus palabras. Le respondió:

—Sé que estás tratando de hacer más tiempo, pero me imagino que deben de tener menos de quince minutos de oxígeno en sus tanques —Elías se volvió a tomar la nariz para tratar de descompresionarse los oídos.

—Jajaja, profesor, veo que estás peor que nosotros. ¿No sabías que es malísimo volar y bucear el mismo día? Los cambios de presión o barotrauma son acrecentados al descender más de diez metros. El aire que respiramos está compuesto de un 78 % de nitrógeno, que pasa a todo el cuerpo en los glóbulos rojos, alimentando la sangre y los tejidos. Al momento de la inmersión, la presión atmosférica aumenta considerablemente y el nitrógeno se acumula en los tejidos. Por eso su dolor de oídos y en los músculos del cuerpo.

El sacerdote, cansado de flotar, se apoyó en una piedra que sobresalía en la pared de la cueva, pero, al tratar de levantar su pesado cuerpo, la protuberante piedra cedió y se rompió, cayendo lentamente, primero pegó en la repisa donde estaban las barras de oro, empujando uno de los lingotes de la orilla hasta las profundidades del pozo.

A medida que el lingote de oro iba descendiendo, a los treinta metros de profundidad traspasó algo que se asemejaba a una nube blanca en el agua. Se trataba de una capa de ácido sulfhídrico, creado por el material en descomposición de la selva de plantas y animales, creando este ácido que tiene una densidad un poco más espesa entre el agua dulce y el agua salada del cenote. A pesar de su alta toxicidad, hay muchos organismos que toleran estas elevadas concentraciones de gas, sobreviviendo y alimentándose dentro de esta.

El lingote de oro continuó descendiendo, iluminado tan solo por el fitoplancton que habitaba en esas profundidades. Al llegar al fondo, hizo un sonido sordo al pegar con algo similar a un enorme tronco de un árbol. Por un segundo, se vio cómo la silueta negra abrió los ojos, enormes pupilas rojas verticales. Aparte de los dos ojos al lado de la cabeza, tenía algo parecido a un tercer ojo justo en medio del cráneo, lo que los científicos llaman el ojo pineal, un círculo pálido que tiene pigmentación muy similar a una retina fotosensible, que permite el paso de la luz, ayudándole a orientarse y regular su ciclo. Un ciclo de inactividad que acababa de ser interrumpido, la bestia se despertaba de un prolongado ayuno y lo demostró abriendo la mandíbula y mostrando una fila de dientes puntiagudos y afilados antes de moverse rápidamente, alterando los sedimentos del fondo y escondiéndose en las tinieblas del acuífero.

—Vamos —les ordenó Elías a los tres buzos, mientras les apuntaba con la ametralladora.

El Muñeco se llevó la mano al puñal en su cintura y después tocó la granada en la correa de su tanque. El sacerdote volvió a tratar de persuadir a Elías.

—Vamos, profesor —mostrándole una medalla con el emblema de la Piedra del Sol, que había tomado del tesoro—. Hay para todos. Te puedes convertir en un multimillonario de la noche a la mañana.

Al ver que Elías no reaccionaba, le gritó:

—¿Para qué quieres que el Gobierno se quede con todo esto?

—¡Porque esto no nos pertenece! —respondió—. ¿Viste todos esos cráneos allá abajo? Todos ellos dieron su vida para ocultar este tesoro.

—Precisamente por eso, fue para evitar que los extranjeros se lo llevaran. Tú puedes regalar tu parte si así lo deseas —dijo una de los guardaespaldas de El Muñeco. De repente su expresión se congeló al sentir un golpe en las piernas—. Hay algo grande en el agua —les dijo a los otros, colocándose su visor para ver bajo del agua.

Debajo de sus pies, se movía entre las penumbras una inmensa silueta negra, con la cabeza afilada y mostrando unos enormes dientes que sobresalían de su mandíbula.

Su grito de terror fue amortiguado por la densidad del agua, un inmenso cocodrilo de unos diez metros de largo y más de dos toneladas de peso agarró entre sus fauces al guardaespaldas de

El Muñeco. Se trató de poner el regulador en la boca, pero le fue imposible, las fauces de la bestia le habían prensado los brazos justo a la mitad. La mordedura de un cocodrilo es la más potente en todo el reino animal: descargando sus mandíbulas con más de 1800 kilos de fuerza. Con un movimiento giratorio lo metió y lo sacó del agua, salpicando de sangre los dibujos de las manos en la piedra. El hombre tragó agua cada vez que intentaba gritar y era sumergido de nuevo. El color del agua se tiñó de rojo.

Elías trató de apuntarle con el fusil, pero los movimientos eran demasiado rápidos, además temblaba considerablemente por el intenso frío de la temperatura del agua. Un pequeño remolino se creó en el agua cuando la bestia sumergió al desdichado hombre.

Rápidamente Elías y el sacerdote se agarraron de la repisa en la piedra, levantando los pies del agua. El Muñeco se colocó el visor y alcanzó a ver cómo el lagarto gigante de color verde y marrón partía en dos a su guardaespaldas, dejando caer las dos partes del cuerpo a las profundidades del pozo. La parte del torso iluminaba su parte inferior, hasta que se perdió en el precipicio. El Muñeco se quitó el visor y se agarró de la repisa al lado de Elías.

Los cocodrilos han sobrevivido millones de años de evolución sin cambio alguno, viven para matar, para alimentarse y reproducirse. Una máquina mortal sin sentimientos ni lógica. Y este en particular despertaba de un largo letargo con mucha hambre. Atacando y devorando todo lo que se movía enfrente de él.

—Ahora ya sabemos por qué los mayas le llamaban el inframundo. Es como si Dios hubiera creado al diablo y lo colocara en este lugar para pagar nuestros peca…

El sacerdote no terminó su frase cuando la enorme cabeza del cocodrilo salió del agua, tratando de morderlo en las piernas. Los tres trataron de sujetarse de la repisa en la piedra, subiendo los pies lo más que podían lejos del agua. Elías se colgó con una mano y con la otra le apuntó al cocodrilo. Disparó la primera ráfaga de tres balas, pero aparentemente no pasó nada. Todo su cuerpo estaba protegido por osteodermos, placas óseas que impedían que las balas penetraran su coraza.

Afuera del cenote la lluvia continuaba cayendo torrencialmente, haciendo que el nivel del agua siguiera ascendiendo en la bolsa de aire. Elías estaba titiritando de frío y cansancio, que se notaba también en el sacerdote, pero aun así trataba por todos los medios de agarrarse de la piedra que sobresalía en la bóveda. El peso del equipo de buceo se hacía cada segundo más fastidioso y difícil de soportar.

Uno de los pies del sacerdote tocó el agua y de inmediato quedó trabado en las mandíbulas del cocodrilo. Un grito de dolor y terror salió de su garganta. Elías lo tomó con la mano derecha, tratando de evitar que el cocodrilo lo jalara al abismo.

John Balda se le quedó mirando y dijo:

—*¡Jesus! Forgive me* —y con eso fue jalado a lo profundo de la bóveda.

El Muñeco volteó a ver a Elías y en una carrera en contra del tiempo ambos se colocaron el visor y el regulador, y se sumergieron tratando de aprovechar que el cocodrilo estaba ocupado con el sacerdote. Elías giró hacia la derecha y vio al sacerdote tratando de golpear al cocodrilo con las manos mientras era apretujado en las mandíbulas del animal. El cocodrilo hacía movimientos bruscos con la cabeza despedazando poco a poco a su víctima. Como no pueden masticar, desgarran toda la carne para después tragársela de un bocado. John Banda dejó salir las últimas burbujas de aire pintadas del rojo de sus pulmones. Ya con el cuerpo inerte del sacerdote, el cocodrilo se hundió. Con el campo abierto, Elías buscó el hilo de la vida, el cual señalaba la salida del laberinto hacia la izquierda, justo donde estaban todos los cráneos. «Como el hilo de Ariadna» pensó el profesor. «De este hilo depende que encuentre la salida».

El hilo de Ariadna es una leyenda de la mitología griega, que cuenta sobre un minotauro, un monstruo cretense con la cabeza de toro y cuerpo humano, que vivía dentro de un laberinto del cual no se podía escapar y la única manera de saciar su hambre era alimentándolo con gente de Atenas cada nueve años. Teseo, hijo Egeo, el rey de Atenas, se ofreció para ir a matar al minotauro. La joven Ariadna, que era hija de Minos, al ver al valiente Teseo, se enamoró de él y le ofreció su ayuda con tal de que la tomara como esposa. Teseo aceptó, y así es como Ariadna le regaló un ovillo para que lo fuera desenrollando conforme fuera avanzando en el laberinto. Tras matar al minotauro, Teseo se llevó a la joven Ariadna, pero la abandonó cuando ella se durmió en la orilla de una isla, y así Teseo se fue con la joven que él realmente amaba.

Pero este monstruo no era de una leyenda o de cuentos de la mitología griega, era real y ellos estaban en sus dominios.

Al descender de la bolsa de aire, El Muñeco tomó hacia la derecha de la bóveda, donde estaban los lingotes de oro. Se colocó uno en cada lado del chaleco y comenzó a nadar hacia la salida del túnel. Un par de metros enfrente de él, Elías nadaba cuán rápido podía.

El fitoplancton bioluminiscente de repente se apartó de los buzos, como presintiendo que algo se avecinaba. Una vez más de la profundidad del pozo salió el lagarto agitando la cola para tomar más velocidad, dejando estelas de ácido sulfhídrico a su paso.

El Muñeco apenas podía nadar con el peso de los lingotes de oro. Las vibraciones de cada pataleada llegaban a los sensores del caimán. Los cocodrilos tienen más de 4000 puntos negros en la cabeza. Cada uno de esos puntos o protuberancias son órganos sensoriales, los cuales les permiten detectar los campos eléctricos o cualquier movimiento de su presa. Estas protuberancias nerviosas están conectadas hasta el cerebro, relacionando su acción de morder, desgarrar y tragar. Por eso El Muñeco se hizo una presa fácil para el inmenso animal. De una sola mordida descargó los 1800 kilos de fuerza arrancándole limpiamente el brazo izquierdo hasta el hombro, mutilando su torso por completo. Elías continuó nadando delante de él, al final del túnel ya alcanzaba a divisar las luces de las lámparas en la entrada del cenote. En eso percibió que el agua se tornaba rosácea. Volteó y vio a El Muñeco con una mirada de terror en sus ojos amarillos, tratando en vano de clavar su puñal con la mano derecha en las gruesas escamas del reptil. En plena lucha por su vida, El Muñeco inadvertidamente cortó el hilo de la vida.

La tensión que tenía Elías entre sus dedos al ir tentando el hilo se desvaneció por completo. Pero sabía que, mientras lo siguiera tocando y jalando, podría encontrar la salida de la cavidad, que estaba a menos de 60 metros.

Tras tragarse el brazo de El Muñeco, el inmenso caimán volvió con bríos para acabar con su víctima. En completo shock, El Muñeco dejó de nadar y volteó a ver a su verdugo que venía con todas las intenciones de terminar lo que había comenzado. El Muñeco respiró profundamente por el regulador. Lo escupió de la boca, tomó la granada de la correa de su chaleco y con la boca le jaló el clip de seguridad.

El inmenso caimán abrió sus enormes fauces, mostrando vestigios de su brazo izquierdo prendidos entre los dientes.

Abajo del agua solo podemos escuchar el 10 % de los sonidos que se producen. El oído humano está hecho para escuchar las vibraciones a través del aire. Por eso fue terrorífico para Elías escuchar el grito de terror y pavor de El Muñeco al meterse con la mano derecha por delante a las mandíbulas del cocodrilo.

Una vez más el reptil dio media vuelta, nadando con el cuerpo de El Muñeco en su hocico hacia el peldaño que acunaba el tesoro de Moctezuma.

Cinco segundos después una enorme explosión aventó a Elías hacia adelante, golpeándose en contra de una enorme estalagmita que se partió en mil pedazos. Por un segundo le hizo recordar lo que pasó en las selvas de Michoacán. Una vez más se jugaba la vida.

Uno de los peligros más grandes de los buzos que se adentran en los cenotes son los constantes derrumbes de piedra caliza, la cual, por la disolución de carbonato cálcico que se acumula en el agua, debilita mucho la piedra, creando fisuras en esta.

El cocodrilo explotó en mil pedazos. La descarga de energía fue tan potente que la roca de la bóveda comenzó a ceder, creando un enorme hueco que se comunicaba con los ríos Sac Actun y Dos Ojos, los cuales están clasificados como la cueva inundada más larga de todo el mundo con una longitud de 346 kilómetros. Esta nueva conexión al río subterráneo comenzó a succionar todo lo que estaba en esta cavidad.

Elías apenas se estaba recuperando del golpe en contra de la estalagmita cuando sintió que el agua lo jalaba de reversa. Se agarró fuertemente de la protuberancia del subsuelo. Pero cada vez la succión era más intensa. Primero fueron los cráneos, que fueron arrastrados por la corriente, después el oro, las joyas y todo el tesoro que fue acumulado por tantos años por los aztecas desaparecieron de la vista.

Elías se agarró entrelazando sus dedos en la columna de piedra creada con el paso de millones de años de la precipitación de minerales disueltos en el agua. Columna que eventualmente cedió, quebrándose a la presión de la aspiración acuática.

Elías comenzó dando tumbos hacia atrás, golpeando su cuerpo contra la roca porosa. De repente estaba en otra bóveda diferente, con una corriente de agua más intensa que lo arrastraba más en sus entrañas. «El hilo de la vida, la entrada del túnel» pensó Elías. Todo había quedado atrás y cada segundo se alejaba más y más. Afortunadamente mantenía en su posesión las dos lámparas que había tomado de la entrada del cenote, gracias a las correas que cada una traía, amarrándoselas una en cada muñeca.

Al iluminar a su alrededor, se dio cuenta de que estaba en otro pabellón mucho más grande que el anterior, pero este tenía múltiples cavernas, con una multitud de entradas y salidas.

Iluminó el manómetro para tomar lectura de la presión de aire dentro de la botella y se dio cuenta de que la aguja marcaba el rojo de la reserva.

En ese momento supo que no había nada que hacer. Se colocó boca arriba para admirar las enormes estalactitas de la caverna, dejándose llevar por la corriente del río subterráneo más grande del planeta.

CAPÍTULO 33

En la Basílica de Guadalupe, la misa de las nueve de la noche estaba a punto de terminar. El sacerdote en turno, tras haberse purificado mediante el lavado de manos, se preparaba para repartir la eucaristía a todos los feligreses congregados en la iglesia. El *Alter Christus,* consagrando el pan y el vino como el cuerpo y la sangre de Cristo. Tal como se indica en el Evangelio, Lucas 22:19 en la última cena de Jesús con sus apóstoles.

En eso, las puertas de la basílica se abrieron de par en par. El sacerdote se quedó petrificado justo en el momento que levantó la ostia para bendecirla.

Un despliegue de cuatro hombres de seguridad vestidos de traje oscuro y con el corte de cabello al estilo militar corrieron de inmediato hacia la entrada principal, parándose en seco al ver a la persona que entraba al santuario.

Se trataba del seminarista Moisés Cahuich, que cargaba como el Pípila en su espalda el enorme estuche dorado de 2 metros con la imagen de la Virgen de Guadalupe.

El sacerdote cayó de rodillas atrás del altar. Mientras que la mayoría de los feligreses se persignaban, algunos lloraban de alegría, otros grababan el momento histórico con sus celulares. Caminando lentamente por el piso de mármol, Moisés avanzó hasta el altar principal, que fue tallado de un bloque de piedra extraído justo del lugar en el Tepeyac, donde la Virgen Morena se le apareció a Juan Diego.

La Virgen de Tequatlasupe estaba de vuelta en su casa.

En el sur del país, Elías, que flotaba con la corriente del río subterráneo, vio de nuevo su manómetro. La aguja estaba muy por debajo del rojo. Era cuestión de minutos, posiblemente de segundos, para que se quedara sin oxígeno. Su lámpara en la mano derecha comenzó a parpadear, hasta apagarse por completo.

Trató de succionar más aire, pero el tanque estaba completamente vacío. Con la última bocanada se quitó el tanque y lo dejó a la deriva. Ahora era la lámpara de la mano izquierda que se apagó sin previo aviso. Le trató de dar un par de golpes, pero las pilas se habían agotado. Se quitó las lámparas de las manos y las dejó caer al fondo.

Sabía que el final estaba cerca, pero aun así estaba tranquilo. Se sentía en paz consigo mismo.

Era un silencio total. La quietud submarina lo embargaba. Sintió su cuerpo brillar por todo el fitoplancton que se arremolinaba a su alrededor. Un sentimiento de ser uno con el universo, de saber que cada molécula de hidrógeno, nitrógeno, carbono y oxígeno, todas estas sustancias de las que está compuesto nuestro cuerpo, ha sido parte del universo por millones y millones de años y lo seguirá siendo después de nuestra muerte, por toda la eternidad. Y por primera vez en mucho tiempo se puso a rezar mentalmente.

Dios te salve María,
llena eres de gracia,
el Señor es contigo.
Bendita tú eres entre todas las mujeres.

Un intenso dolor comenzó en los pulmones. Era la contracción de los alvéolos por la falta de oxígeno. Su urgencia de jalar aire era inminente. Trató de no prestar atención a esto, ni al frío, y continuó.

Y bendito es el fruto de tu vientre, Jesús.
Santa María, Madre de Dios, ruega por nosotros pecadores.

Estaba a punto de perder el conocimiento, cuando vio una sonrisa blanca en el techo de la caverna. Las frías temperaturas del agua y la falta de aire le estaban alterando el razonamiento.

Instintivamente comenzó a patalear y a bracear con las fuerzas que le quedaban hacia la sonrisa.

De nuestra muerte.

Con cada braceada, la sonrisa se hacía más grande y más brillante. Curiosamente sintió como que el fitoplancton le estuviese ayudando a subir en busca de la luz que se refractaba en el agua.

AMÉN

¿Qué es eso…?

Elías se impulsó con todas sus fuerzas hacia arriba. Emergió del agua por otro orificio del cenote. *AIRE*, tomó una enorme bocanada de aire. El fitoplancton que lo acompañaba se disipó en la corriente acuática.

El profesor se recostaba de espaldas sobre la piedra caliza. Embelesado, veía la luz plateada de la luna, que por estar en su fase menguante parecía sonreírle a la tierra, disipando las tinieblas de la noche.

EPÍLOGO

En las oficinas del CENAPRED, Diana Durán se acercó más a su monitor para observar de cerca lo que estaba pasando. Se tomó la diadema de comunicación y dijo:

—Tienen que venir a ver esto.

Los cuatro operadores en turno, junto con el director general Pablo Orejón, se acercaron al cubículo de Diana.

—¿Qué pasó con el tsunami? Estaba a solo horas de que arrasara con la costa del Pacífico —comentó Pablo Orejón.

—Señor, la última boya en la superficie no registró ningún movimiento en el mar —dijo Diana—. La página oficial de la

NOAA, en el último reporte de hace unos segundos, indica que la ola se ha disipado.

—Pero ¿cómo puede ser? La ola medía de cuatro a diez metros de altura.

—Señor, no me va a creer esto, pero el Popocatépetl, el Nevado de Colima y el Pūhāhonu han dejado de humear —le indicó otro de los operadores.

Pablo Orejón trataba de encontrar una respuesta científica a estos sucesos.

—¿Habrá sido la Placa de Cocos? La que causó el terremoto del 85. Podría ser que reajustó la fractura que había ocasionado, cerrando el llamado Punto Caliente de la tierra.

Todos los operadores lo veían, incrédulos. A lo que les dijo:

—La mayor parte de los volcanes, incluyendo el Popo y los de Hawái, están en estos Puntos Calientes.

Paz a los que llegan.
Salud a los que habitan.
Felicidad a los que marchan.

Paola leyó en voz alta la frase contenida en un gran azulejo azul, enmarcada con un marco de hierro negro, en la entrada del monasterio de las hermanas capuchinas, donde los estaba esperando la madre superiora.

—Madre, tenemos algo para usted —le dijo Elías.

El olor de incienso de olíbano y mirra perfumaba el aire del convento. Elías tomó la bolsa de papel y se lo entregó a la religiosa. Tomó a Paola de la mano y se alejaron del convento.

La madre superiora abrió la bolsa de papel, donde estaba un libro con la cubierta y las costuras de piel. En medio de la carátula, la imagen de la Virgen de Guadalupe con el título:

NICĀN MOPŌHUA
HUEI TLAMAHUIÇOLTICA
OMONEXITI IN ILHUICAC TLATOCAÇIHUAPILLI

SANTA MARIA TOTLAÇONANTZIN TECUATLASUPE
IN NICAN HUEI ALTEPENAHUAC
MEXICO ITOCAYOCAN TEPEYAÇAC
1649

La madre superiora se quitó los lentes para secarse las lágrimas.

En la Catedral de México, Paola y Elías se sentaron en una de las butacas al lado de María, la guía, con su pelo completamente blanco bien peinado y su inmaculada blusa azul y chaleco azul oscuro.

—María Teresa Romero, ¿se acuerda de nosotros? —le preguntó Paola.

La anciana los volteó a ver y les sonrió.

—Por supuesto. Los que andaban buscando a la Coatlicue. ¿Y encontraron lo que buscaban?

Elías metió la mano a la bolsa de su blazer, sacó algo con la mano cerrada y se lo entregó a la guía.

—Esto es tuyo, María, tenías toda la razón.

Con la misma, los dos se persignaron y salieron de la catedral.

María estaba confundida. No sabía a qué se refería. Abrió su mano y se encontró un medallón de puro oro con este hermoso símbolo:

FIN.

OBRAS CONSULTADAS

Nicān Mopōhua y *Nican Motecpana* (Traducción de Lasso de Vega).

Historia verdadera de la conquista de la Nueva España. Bernal Díaz del Castillo 1632.

Guadalupe: pulso y corazón de un pueblo. El acontecimiento Guadalupano de Fidel González.

Guía internacional de las sociedades secretas. Gabriel López de Rojas.

La Tilma de Juan Diego: ¿Técnica o Milagro? Callaghan & Smith.

Los ojos de la Virgen de Guadalupe. José A. Tonsmann.

Las extraordinarias historias de los códices mexicanos. Carmen Aguilera.

Historia de las Indias. Gomara.

Medical infrared Photography. Kodak Publication.

Six Nuevo Mexicano Folk Dramas for Advent Season. Larry Torres.

El misterio de la Virgen de Guadalupe. J.J. Benítez.

Las hermosas matemáticas de Dios. Jairo E. Torres.

Video Gran Acuífero Maya. Guillermo de Anda/National Geographic.

Grandes tesoros ocultos. Javier Martínez Pinna.

La leyenda del Dorado y otros mitos del descubrimiento de América. Christian Kupchik.

Popocatépetl: Mitos, ciencia y cultura: un cráter en el tiempo. Carlos Villa Roiz.

IMÁGENES REFERENCIALES

Escanee el código QR para ver las imágenes referenciales.

FIGURA 1

Imagen de la Virgen de Guadalupe, plasmada en la tilma de Juan Diego. Una imagen que encierra muchos misterios y códices. El estado de conservación de la tela, el origen de los pigmentos, las siluetas dibujadas en sus ojos, su manto de estrellas representando las constelaciones sobre México el 12 de diciembre de 1531. La imagen de la Virgen de Guadalupe es una de las imágenes más veneradas de la Iglesia católica. El nombre Guadalupe es una españolización del nombre náhuatl Tequatlasupe, que significa «la que aplasta la serpiente».

FIGURA 2

Imagen de la primera página del *Nicān Mopōhua* (aquí se narra). Documento escrito en 1556 por don Antonio Valeriano, donde recuenta las apariciones de la Virgen al devoto Cuauhtlatoatzin, que años antes había sido bautizado por los primeros misioneros franciscanos con el nombre de Juan Diego. En 1880 se realizó una subasta en Londres del lote denominado «Momentos guadalupanos», los artículos 379 y 380 fueron adquiridos por la Biblioteca Pública de Nueva York, que incluía esta copia del *Nicān Mopōhua*, desde entonces permanece en la Biblioteca Pública de Nueva York.

Foto cortesía: Manuscripts and Archives Division, The New York Public Library. «Nican Mopohua» New York Public Library Digital Collections. Accessed June 9, 2020.

FIGURA 3

Coatlicue, «la que tiene la falda de serpientes». La creadora y destructora de la tierra, madre de todos los dioses y de todos los mortales. La que dio a luz a la luna y las estrellas. Su atuendo representa la vida y la muerte. Su collar está hecho de corazones y cráneos humanos. Su cabeza son dos serpientes que se encuentran, fue tallada de tal manera que se ve como una sola cabeza con dos colmillos y dos lenguas.

Las víboras representan la sangre que emana del cuerpo, lo que sugiere que Coatlicue fue decapitada y desmembrada. Pesó 3 toneladas, altura 3,5 metros.

Los aztecas veneraban a Coatlicue en la cima del monte Tepeyac.

La estatua se encuentra actualmente en el Museo de Antropología e Historia.

Foto cortesía: Archivo Digital MNA.

FIGURA 4

Placa que marca el lugar exacto dentro del Zócalo de la Ciudad de México, entre el Palacio Nacional y el edificio de Gobierno, donde fue encontrada Coatlicue el 13 de agosto de 1790 durante la remodelación de la Plaza Mayor en la Ciudad de México. El hallazgo de este monolito fue un factor importante para incitar la lucha por la independencia y libertad del pueblo mexicano.

Foto cortesía: Norma Lozano.

FIGURA 5

Ilustración de una ofrenda de los aztecas, sacrificio humano al dios del sol. Los sacrificios humanos fue una practica religiosa, cuatro sacerdotes sujetaban las extremidades de la persona que iba a ser asesinado. Después, el sacerdote principal abría el pecho con un cuchillo de obsidiana y le arrancaba el corazón, que era ofrecido a los dioses. El canibalismo también era una práctica frecuente entre los aztecas.

La mayoría de los sacrificados eran guerreros capturados durante la batalla. Se cree que durante el Imperio Azteca se sacrificaron cerca de 250 000 personas entre hombres, mujeres y niños.

Foto cortesía: iStock Benoitb.

FIGURA 6

La Basílica de Guadalupe es uno de los sitios más importantes en el mundo católico. Localizada en la Plaza de Las Américas justo enfrente del cerro del Tepeyac, donde la Virgen de Guadalupe se le apareció a Juan Diego. A la derecha de la foto se aprecia la Antigua Basílica, la cual se está hundiendo por haber sido construida en el lago Texcoco. También se aprecia la Capilla de las Capuchinas, la Parroquia de Indios, la Capilla del Pocito y al fondo en la cima del cerro el Templo del Cerrito.

Foto cortesía: iStock Byelikova Oksana.

FIGURA 7

El camarín de la Virgen, la imagen de la Virgen de Guadalupe en su estuche de acero inoxidable con marco dorado y cristal antibalas. El camarín está localizado en un sistema retráctil con bisagras colocado a espaldas del altar mayor, para poder posicionar la imagen enfrente de cuatro bandas transportadoras para que los fieles tengan tiempo de rezar un avemaría al pasar enfrente de la Virgen Morena. Cada 12 de diciembre millones de personas visitan este santuario.

Foto cortesía: iStock Adriana Cifuentes.

FIGURA 8

La tilma de Juan Diego con la imagen de la Virgen de Guadalupe, posicionada detrás del Altar Mayor, en frente de las bandas transportadoras.

Tras depositar sus ofrendas, los fieles a la Guadalupana tienen diez segundos para rezar un avemaría, mientras se transportan en las bandas corredizas que están en continuo movimiento.

Foto cortesía: iStock Photo Beto.

FIGURA 9

Popocatépetl (en náhuatl, «el cerro que humea») es un volcán activo a 5500 metros sobre el nivel del mar, que se encuentra en los límites territoriales de los estados de Morelos, Puebla y el Estado de México. Está a tan solo 46 kilómetros de la ciudad de Puebla y a 72 kilómetros de la Ciudad de México.

Está catalogado como un estratovolcán, localizado dentro del Cinturón de Fuego del Pacífico.

Foto cortesía: iStock – Benedek.

FIGURA 10

El paraguas. La fuente invertida es una emblemática columna con motivos ornamentales y simbólicos situada en el patio del Museo Nacional de Antropología, cubierta por un alto relieve de bronce titulado *Imagen de México*. Sus dibujos simbolizan la unión de dos culturas con el rostro del indio y del español y en el centro el Águila como emblema Nacional de México.

Tiene diferentes dibujos en cada punto cardinal. Se le considera entre las cubiertas colgantes más grandes del mundo.

Foto cortesía: iStock - Diego Grandi.

FIGURA 11

Catedral Metropolitana de la Asunción de la Santísima Virgen María a los cielos de la Ciudad de México. La primera piedra se instaló en 1573 justo encima del Templo Mayor de los Aztecas, culminando su construcción en 1813. Es la iglesia más grande en toda América. Las dos torres cuentan con espacio para albergar 56 campanas, aunque actualmente solo existen 35 campanas.

Foto cortesía: iStock FerranTraite.

FIGURA 12

Castillo de Chapultepec - Museo Nacional de Historia. Su construcción data de 1778 con un diseño barroco y neoclásico. Su origen se remonta el virreinato de la Nueva España. Después el Heroico Colegio Militar estableció ahí su sede, teniendo un papel significativo en la Batalla de Chapultepec en contra de la intervención estadounidense en México. Fue la residencia del emperador Maximiliano de Habsburgo y su esposa Carlota. Después en 1944 por decreto presidencial pasó a ser el Museo Nacional de Historia.

Foto cortesía: iStock ZZ3701.

FIGURA 13

Palacio Nacional de México

Es la sede del Poder Ejecutivo Federal, localizado en el centro histórico de la Ciudad de México. Su construcción se inició en 1522, como la segunda residencia de Hernán Cortés. En 1987 fue decretado como Patrimonio de la Humanidad por la Organización de las Naciones Unidas para la Educación, la

Ciencia y la Cultura (UNESCO). En 1935 el pintor mexicano Diego Rivera realizó sobre sus muros unos de sus murales más famosos: *Epopeya del pueblo mexicano.*

Foto cortesía: iStock – Stockcam.

FIGURA 14

Cenote Maya. La palabra cenote se deriva del maya *Dzonot,* que significa «hoyo en el suelo» o «pozo». Los cenotes de la península de Yucatán fueron formados por el impacto del meteorito que acabó con los dinosaurios hace 65 millones de años. El cráter que se formó con el impacto es llamado Chicxulub, «el pozo del diablo». El meteorito del tamaño del Monte Everest viajaba a una velocidad de 20 kilómetros por segundo, 20 veces más rápido que una bala. Su impacto fue equivalente a 100 teratones de TNT, mil millones de veces más potente que las bombas de Hiroshima y Nagasaki en la Segunda Guerra Mundial.

Como resultado del impacto, se formaron una red de ríos subterráneos, llamados cenotes. Hasta el momento se han contabilizado más de seis mil cenotes en la península de Yucatán.

En la mayoría de los cenotes el agua es cristalina con formaciones de estalactitas y estalagmitas por la roca caliza. En muchos de ellos las raíces de los árboles crecen hasta alimentarse con el agua que fluye en el río subterráneo.

Foto cortesía: iStock JTPhotos11

RICARDO CELIS FLORES

(Tampico, México, 1962)

Ricardo Celis Flores es una de las personalidades más reconocidas en los medios hispanos con un trabajo de más de tres décadas en el campo periodístico. En todos estos años, ha cubierto todo tipo de eventos deportivos, desde Olimpiadas, Copas Mundiales, Series Mundiales de Béisbol, Tazones Colegiales, SuperBowls, NBA y muchos más. Además de todas sus coberturas deportivas, Celis Flores fue corresponsal para Univisión Network durante los ataques terroristas del 11 de septiembre a las Torres Gemelas en la ciudad de Nueva York. Durante su carrera, Celis Flores ha recibido una infinidad de premios y galardones, reconociendo su gran labor en los medios hispanos. Ganador de varios premios Emmy de parte de la Academy of Television Arts & Science, en 2003 recibió el premio a la Excelencia Televisiva por parte de la Organización Mundial de Boxeo. Ricardo Celis Flores hasta el momento ha sido el único periodista que ha trabajado en Telemundo Network, Univisión Network, ESPN Deportes, Time Warner Sportsnet, FOX Deportes, HBO y DAZN. En toda su trayectoria, Celis Flores ha narrado cientos de peleas de boxeo y es la voz oficial de los partidos de la NFL en español. Reside junto a su familia en Miami y Los Ángeles.

ÚLTIMOS TÍTULOS PUBLICADOS:

Las ruinas del fuego (Pedro Valbuena)

Higthon (E. Moncluth y F. Villaro)

Cuando tus ojos no ven (Leonardo Vidal)

Luz en la oscuridad (Virginia Mancebo)

Oscura vida de Gatribell (Katbell)

El forzado inicio de la era digital (Carlos Cáceres)

Gritos en el silencio de la esposa de un pastor (Olinka Córdoba)

EDIQUID

Printed in Great Britain
by Amazon